D1596946

LE TROUBLE BIPOLAIRE
POUR CEUX QUI EN SOUFFRENT ET LEURS PROCHES

Distribution: Messageries de presse Benjamin
101, rue Henry-Bessemer
Bois-des-Fillion (Québec) J6Z 4S9
450-621-8167

LE TROUBLE BIPOLAIRE
POUR CEUX QUI EN SOUFFRENT ET LEURS PROCHES

D^{re} Marie-Josée Filteau,
médecin psychiatre

Jacques Beaulieu,
écrivain médical

ÉDITIONS
LA SEMAINE

LES ÉDITIONS LA SEMAINE
2050, rue de Bleury, bureau 500
Montréal (Québec) H3A 2J5

Éditeur: Claude J. Charron
Éditeur délégué: Claude Leclerc
Directrice des éditions: Annie Tonneau
Directrice du secteur livres: Dominique Drouin
Coordonnatrice aux éditions: Françoise Bouchard

Directeur des opérations: Réal Paiement
Directrice Artistique: Lyne Préfontaine
Superviseure de la production: Lisette Brodeur
Assistante-contremaître: Joanie Pellerin
Infographiste: Marylène Gingras
Réviseurs-correcteurs: Dominique Robert, Colombe Savard, Sarah-Nadine Lanouette
Scanneristes: Patrick Forgues, Éric Lépine, Estelle Siguret

Photo de la quatrième couverture: Claire Billet
Illustration: Béatrice Favereau

Remerciements: Gouvernement du Québec - Programme de crédits d'impôts
pour l'édition de livres - Gestion SODEC

L'éditeur bénéficie du soutien de la Société de développement des entreprises culturelles du Québec
pour son programme d'édition

© Charron Éditeur Inc.
Dépôt légal: Troisième trimestre 2008
Bibliothèque et archives nationales du Québec
Bibliothèque et archives du Canada
ISBN: 978-2-923501-52-9

À tous les bipolaires, à ces femmes et ces hommes
qui font preuve d'un courage et d'une dignité
indéfectibles face à la maladie et aux préjugés, à ceux
dont les rêves et les idées enrichissent la pensée humaine.
— Marie-Josée Filteau

À mon épouse, Micheline,
à mes enfants, Simon, Hugues et Anne,
et à mes petits-enfants, Camille, Léa-Jade,
Albert et Clémence. Merci.
— Jacques Beaulieu

Remerciements au Dr Philippe Baruch du centre hospitalier Robert Giffard pour la relecture du livre et ses précieux commentaires.

Though my soul may set in darkness,

it will rise in perfect light.
I have loved the stars too fondly
to be fearful of the night.

Et si mon âme sombre dans les ténèbres,
Elle renaîtra à la divine lumière.
J'ai trop chéri les astres
Pour redouter la nuit.

SARAH WILLIAMS, *Le vieil Astronome et son élève*

Poème d'un fils à son père atteint du trouble bipolaire

Les mains sur la tête
À se frotter les rêves
Qui restent dans sa mémoire
Le vent dans ses ailes
Et son sang dans les veines
Il se bat à grands coups d'espoir

Il pourrait se dire
Je n'attends plus le soir
Je ne veux plus y croire
Rien ne sert de mentir
Il n'y a jamais eu de sourire
Au reflet de mon miroir.

À chaque fois le lendemain
Comme s'il n'y avait eu qu'un seul chemin
À suivre, il repartait
Laissant derrière tous ses remords
Les souvenirs, les faux départs.
Au pire, il souriait

Il pourrait se dire
Rien ne sert de courir
J'ai envie d'y croire.

SIMON BEAULIEU, 1991

AVANT-PROPOS

Tous, nous connaissons Guy Latraverse, cette figure incontournable du milieu artistique québécois. Souffrant du trouble bipolaire, il ne s'en est jamais caché. En plus de ses activités professionnelles, M. Latraverse est aussi le président du groupe REVIVRE, qui s'occupe de dépression, de maniacodépression et de troubles anxieux. Pour le bénéfice de nos lecteurs, il raconte son histoire:

Le chaos

«C'est en 1985 que l'on a diagnostiqué chez moi ce qu'on appelait alors la "maniacodépression". Aujourd'hui, on dit plutôt que je suis atteint de trouble bipolaire. Jusqu'à mon diagnostic, personne dans mon entourage ne s'était rendu compte que j'avais cette maladie. Même les spécialistes en santé, comme les médecins généralistes et les psychologues que je consultais alors n'avaient rien soupçonné. Je leur racontais mon mal, cette forme bien particulière de malaise que je ressentais. Puis je sombrais dans la dépression, et là, c'était majeur. Ils me donnaient des Ativan, une pilule pour calmer les nerfs comme on disait alors et me renvoyaient chez moi. Lorsque j'étais en phase manie, bien sûr je n'allais pas les voir. J'étais alors un surhomme, je n'avais

pas besoin de cela. Il faut dire que je n'avais jamais vu un psychiatre avant mon hospitalisation à l'Hôtel-Dieu* à la suite de nombreuses tentatives de suicide. Durant la dernière année de ma maladie, j'ai vraiment eu des idées suicidaires qu'il m'est arrivé de traduire en gestes: tentative d'asphyxie au monoxyde de carbone dans mon véhicule, pendaison, usage du revolver. J'élaborais des stratégies, mais je ne les essayais heureusement pas toutes. Sauf cette fois où j'ai tenté de me pendre, je me suis même blessé à cette occasion. J'ai alors été surpris par ma blonde, grimpé sur la boîte à pain, en train de me passer la corde au cou. Elle a téléphoné à une de ses relations en psychiatrie et j'ai été emmené à l'hôpital où j'ai été accueilli par le chef du département de psychiatrie. Avec lui, ça n'a pas été long. Il m'a fait une piqûre pour me calmer et m'a écouté parler pendant une demi-heure, puis il m'a dit: «Venez avec moi, cher ami, on va vous soigner.»

Le choc

Je suis allé au sixième étage de l'hôpital et j'y suis resté deux mois. Durant les deux ou trois premières semaines, je passais de nombreux examens pour établir le diagnostic. Puis, je fus mis sous lithium et là, tranquillement, lentement mais sûrement, je me suis mis à aller mieux. Ma condition s'améliora encore et j'eus droit à quelques sorties de fin de semaine. Finalement, au bout de deux mois, je suis sorti. J'ai pris deux semaines de convalescence au petit chalet que je possédais alors à Saint-Hilaire et je suis rentré au travail. Au début, je me sentais un peu comme un joueur de hockey qui revient sur la glace, je me contentais de patiner au centre en évitant les

---

* Nda: aujourd'hui le CHUM

coins. Mais au bout d'un mois, j'avais repris la forme à un point tel que devant ma grande énergie, on me demandait: «Dis donc, as-tu pris tes médicaments?» Moi, ça ne m'a jamais énervé de prendre des médicaments, et ça ne m'a jamais enlevé mon énergie, mon imagination, ma capacité de travail et de développement. Je n'ai pas changé en fait, sauf que j'avais les pieds sur terre, ce que je n'avais pas avant quand j'avais la maladie. Car avant, quand j'étais en phase manie, je ne me souviens pas de tout, mais j'ai fait des folies sérieuses. C'en était dramatique.

La pilule

Ça fait maintenant 20 ans que je vis sous médication et je suis, chose rare de nos jours, toujours suivi par le même psychiatre. Je le vois encore toutes les six semaines et je ne rate jamais un rendez-vous. Ces rencontres sont très importantes pour moi, c'est comme une forme d'appui pour moi. Je sais que si j'avais un problème, je n'hésiterais jamais à lui en parler. Il connaît tout sur moi. À deux occasions, mon psychiatre m'a demandé de cesser de prendre une pilule de lithium, j'en prenais cinq alors. La première fois, la fusée est complètement partie en phase manie. Quelques années plus tard, nouvel essai et cette fois-là, j'ai plongé en phase dépression sévère. Depuis ce temps, il y a environ 10 ans, il n'est plus question de modifier ma médication. Je ne veux absolument pas revivre ces hauts et ces bas. Même si les effets secondaires de certains médicaments sont handicapants. Par exemple, les tremblements font en sorte que je ne peux même pas manger de la soupe avec une cuillère. Lorsque je veux en prendre, je dois la boire à même le bol. Même pour travailler au clavier ou avec la souris d'un ordinateur, je dois utiliser ma main gauche, la droite tremble trop. C'est fatigant, à la longue, mais je n'aurai jamais le goût de cesser mes médicaments.

Souvenirs douloureux

Depuis, je fais une vie tout à fait normale. Comment vous dire à quel point je suis heureux et fier de cela? Je ne m'ennuie absolument plus de mes phases manies qui, je dois l'avouer, m'ont manqué durant les premières années. Mais aujourd'hui, ça ne me tenterait vraiment plus de revivre ces folies: des folies d'argent, des folies de filles, des folies en faisant des affaires sans aucun bon sens. Dépenser sans compter alors que j'étais cassé comme un clou. Je me souviens d'une certaine terrasse à Paris où je draguais une fille. Tout à coup, je lui dis: «On s'en va à Rome.» Je n'avais alors pas une vieille cenne noire. Pourtant j'ai réussi à louer un avion privé qui nous a emmenés à Rome. Une folie de 5 000 dollars. Et des semblables à cela, j'en ai vécu des masses. Pendant plusieurs années, je demeurais rue Prince-Arthur en plein centre-ville de Montréal. Nous fermions toutes les discothèques puis, le party déménageait chez moi. Là, c'était surtout la cocaïne qui prenait la place, la fête continuait jusqu'à vers 7 h ou 8 h du matin. Je prenais alors un somnifère puissant, de quoi assommer un cheval, puis je dormais deux heures. C'était alors le réveil, aromatisé d'un quart de cocaïne pour me remettre en forme, puis le retour au bureau. Je consommais énormément, c'en était apeurant.

Un nouveau départ

Sorti de l'hôpital, j'ai voulu recommencer ma vie. J'avais alors deux filles d'une première union qui ont aujourd'hui 34 et 35 ans. J'avais l'impression que ma maladie m'avait fait raté bien des choses auprès d'elles. Je ne croyais pas avoir été assez présent ou m'en être occupé suffisamment. J'ai alors entrepris de bâtir une deuxième famille avec cette nouvelle copine rencontrée avant mon hospitalisation et qui est toujours ma conjointe. Aujourd'hui, mes deux autres enfants ont 16 et 17 ans. Mon travail va bien. Je suis un fou du travail. Je suis un malade de travail, c'est comme ça. Même que je vois venir avec un peu d'angoisse l'arrêt de ce travail. Il faudra bien que ça arrête un jour, pas parce que je ne le veux pas, je l'ai décidé ainsi. Mais cette nouvelle étape de ma vie me fait un peu peur. Au fond, je ne suis pas si inquiet. Je ne suis pas du genre à m'ennuyer, j'ai toujours su occuper mon temps. Reste que je n'aime pas cet inconnu qui s'en vient. Depuis 40 ans, j'étais bien emmitouflé dans mes affaires, puis tout à coup, ce sera le changement.

Rester branché au contact des bipolaires

Et puis, j'ai mis en route, ça fait 15 ans maintenant, une association qui s'occupe de dépression, de maniaco-dépression et de troubles anxieux: REVIVRE. J'ai dit oui dès le début. J'en étais alors le porte-parole, mais rapidement, trop rapidement d'ailleurs, j'ai dû en assurer la présidence. C'est mon seul bénévolat. Je n'en ai qu'un parce qu'il m'occupe beaucoup. Chaque jour, je reçois des coups de téléphone en plus des deux, trois ou quatre réunions par mois. Mais je ne m'en plains pas, je m'en réjouis plutôt. J'aime cela, car c'est pour moi comme une façon de me protéger. Mon rôle à REVIVRE me tient constamment en contact avec la maladie de sorte qu'il ne me vienne pas à l'idée d'arrêter mes médicaments ou de faire quoi que ce soit qui risquerait de me faire retomber dans la maladie. Je prends pourtant mes médicaments religieusement chaque jour depuis 22 ans, mais je ne sais jamais ce qui pourrait se passer dans ma tête. C'est pourquoi je me mets continuellement dans des situations qui ne me permettent pas de retomber, c'est ma sécurité.

D'où ça vient?

Quand j'ai été hospitalisé, j'ai eu la chance de rencontrer un résident qui faisait sa spécialisation en psychiatrie et qui aimait discuter avec moi. C'est là que j'ai mis à jour toute la généalogie familiale. Et je me suis rendu compte qu'il y en avait des dizaines et des dizaines dans ma famille. Sachant que cette maladie venait de mes ancêtres, je n'ai eu d'autre choix que de l'accepter et, dès lors, j'ai su que je devrais prendre des médicaments pour toujours. Dans ma famille immédiate, mon frère, mes deux sœurs et moi sommes tous atteints de la maladie. C'est assez rare que tous les enfants d'une même famille en souffrent. Je n'ai jamais remis en question le fait que j'étais atteint de la maladie et ce fut pour moi plus facile à accepter que pour mes sœurs ou mon frère. Ce dernier ne voulait pas en parler, il craignait de mettre ainsi son emploi en péril. L'une de mes sœurs était tout à fait antimédicaments. L'autre de mes sœurs demeurait à Paris et je dus la convaincre d'arrêter d'écouter sa sœur "antipilules" pour améliorer sa vie.

Une erreur grave à éviter

On voit souvent à REVIVRE des personnes qui cessent leur médication dès qu'elles se sentent mieux. Pendant un temps, elles prennent leurs médicaments puis, elles vont mieux et cessent de les prendre. Elles n'ont tout simplement pas compris que c'est parce qu'elles prennent leurs médicaments qu'elles se sentent mieux. Moi, j'ai plutôt pris cela comme si j'étais un gars qui faisait du diabète. S'il ne prend pas son insuline, il va mourir ou du moins avoir bien des problèmes. Si je ne prends pas mes médicaments, les cycles vont reprendre, je vais peut-être me suicider, je ne sais pas ce qui peut m'arriver. Donc pour moi, ç'a toujours été clair. D'ailleurs, il n'y a rien de si terrible à prendre son lithium ou son Epival. Dans mon cas, l'Epival a été quasiment miraculeux. Avant, je piquais souvent des colères, et pas des petites. L'Epival m'a fait passer tout cela. Vraiment formidable. Le lithium m'a d'abord fait engraisser un peu, puis c'est parti. Il ne reste que le tremblement de ma main droite, pas la gauche. Tant que ces médicaments m'empêcheront de monter puis de descendre, je vais continuer à les prendre. Quant à monter dans les hauteurs, je recommencerais n'importe quand. Il n'y a aucun doute. Mais plonger en dépression profonde, non merci, jamais. Il faut avouer que lorsque je tombais en dépression sévère, je devenais un légume. Je m'enfermais dans une garde-robe et ça pouvait durer pendant six mois ainsi. J'étais fini, je ne mangeais plus, je maigrissais, c'était effrayant comment je me sentais. Puis tout d'un coup, bang! en une seule nuit, la fusée repartait, je ne dormais à peu près plus, peut-être deux heures par jour pendant six mois, pété complètement. Non, non, je n'en veux plus. Là je suis content, j'ai une vie normale, avec ma femme et mes enfants, je mène une vie saine. Mon épouse a connu avec moi une phase manie, puis une phase dépression puis une autre phase manie et une autre phase dépression. C'est elle qui m'a trouvé la corde au cou, sur la boîte, en train de... Elle ne m'a jamais quitté, elle aurait pu.

Aspect social

Nous avons déménagé du carré Saint-Louis à Montréal à la campagne, dans un magnifique lieu à Saint-Hilaire.

Les enfants y ont grandi. Moi, je suis né à la campagne, au Saguenay. Derrière chez moi, c'était le pôle Nord. Aujourd'hui, cela ne me dérange pas de voyager de Montréal à chez moi, matin et soir, pour retrouver un peu de campagne.

Aspect professionnel

Sur le plan professionnel, il faut bien réaliser que les affaires et la maniacodépression, ça ne va pas bien ensemble. Pendant six mois, au lieu d'avoir 5 ou 6 projets, t'en as 200. Tout le monde est mélangé et personne n'arrive à te suivre. Puis pendant six mois, on tombe en dépression et on disparaît. C'est très mauvais pour les affaires de se cacher pendant six mois. Au moment de mon hospitalisation, j'étais entièrement ruiné. Il ne me restait que le petit chalet de Saint-Hilaire, hypothéqué jusqu'aux oreilles. Puis en 20 ans, je me suis entièrement refait à telle enseigne que je peux aujourd'hui me retirer et j'ai suffisamment d'argent pour m'offrir une belle retraite.

Le conseil le plus important

Il faut à tout prix faire comprendre aux gens que prendre ses pilules tous les jours, c'est ça le plus important. Si vous pensez que ça ne va pas, surtout en période de dépression, où vous vous sentez comme dans le quatrième sous-sol comme disait Daninos, demandez de l'aide. Vous pouvez consulter en psychiatrie ou même vous informer d'abord auprès d'organismes d'entraide comme REVIVRE. Il faut bien réaliser qu'on ne guérit pas le trouble bipolaire et qu'il faut prendre des médicaments pour le contrôler. Ce ne sont pas des psychothérapies qui vont faire des miracles. Il y a trop de jeunes qui se suicident. Les deux fils de ma cousine se sont suicidés à un an d'intervalle. Elle rentre à la maison et elle trouve son fils mort, aucune lettre, rien. Puis un an plus tard, c'est l'autre. C'est effrayant. J'ai toujours eu comme habitude, lorsque les enfants quittaient la maison, de rencontrer leurs colocataires et de leur expliquer les symptômes du trouble bipolaire, de sorte que s'ils remarquaient quoi que ce soit d'anormal, ils puissent me prévenir. C'était ma manière d'être aux aguets même lorsque nous ne demeurions plus sous le même toit.»

Merci infiniment, M. Latraverse! Nous souhaitons que ce témoignage en tout début d'ouvrage encouragera le lecteur à poursuivre sa lecture.

INTRODUCTION

N ous écrivons ce livre d'abord pour venir en aide à ceux qui souffrent du trouble bipolaire (TBP). À ce sujet, la Dre Filteau dit: «Moins d'une semaine après avoir entrepris l'écriture de cet ouvrage, c'est une patiente qui jeta la lumière sur ce que devait être ce livre. Cette personne se demandait comment annoncer à ses enfants qu'ils risquaient eux aussi de souffrir du trouble bipolaire. Sa propre mère avait été diagnostiquée et s'était suicidée à un âge avancé. Sa fille venait d'accoucher, comment lui expliquer que chez elle, les risques de dépression post-partum étaient plus grands, et ce, jusqu'à un an après l'accouchement. Comment parler avec sa fille adolescente? Devait-on aborder avec elle la question du suicide?»

Ce livre se veut aussi utile à tous ceux et celles qui côtoient une personne bipolaire. Être un parent, un ami, un patron, un employé ou un collègue d'une personne bipolaire peut se révéler extrêmement déstabilisant tant les fluctuations abondent, parfois en nombre, toujours en intensité. Celui que vous avez rencontré hier semble bien changé aujourd'hui. L'optimiste, l'idéaliste s'est, comme par un coup de baguette magique, métamorphosé en un être renfermé, distant, triste et découragé. Puis, autre revirement: il redevient ce qu'il était pour un temps, et replonge à nouveau. Pas facile à suivre, un bipolaire! D'autant plus qu'il tournera en dérision vos sages conseils lorsqu'il est en phase exaltée et n'écoutera pas vos encouragements quand vous tenterez de lui remonter le moral pendant sa période dépressive.

Tout le monde connaît des hauts et des bas. Mais pour un certain pourcentage de la population, il ne s'agit pas de périodes plus réjouissantes et d'autres plus ternes, mais de véritables montagnes russes d'émotions. En réalité, tant les hauts que les bas adoptent des dimensions parfois extrêmes. Voilà, dans sa plus simple expression, une description de ce qu'on appelait autrefois la psychose maniacodépressive et que l'on nomme plus justement aujourd'hui: le trouble bipolaire.

Nous verrons plus loin et en détail les diverses manifestations du trouble bipolaire. Pour l'instant, il convient de savoir que le trouble bipolaire se présente sous plusieurs formes tant sur le plan des symptômes que de leur sévérité. La forme la plus sévère se nomme le trouble bipolaire de type 1. Le type 2 présente des symptômes de manie plus légers. Finalement, nous parlerons de trouble du spectre bipolaire. Dans tous ces cas, le symptôme commun est une variabilité de l'humeur, comme décrit précédemment. Les écarts peuvent être très grands comme chez le bipolaire de type 1. À l'opposé, les écarts sont plus petits et les cycles manie/dépression plus rapprochés comme dans le cas de la cyclothymie. On estime que de 1 à 2,5 % de la population souffre de trouble bipolaire de type 1. Le type 2 en toucherait entre 2 et 5 %. Les femmes et les hommes peuvent être touchés de manière égale.

Nous consacrerons un chapitre à ce que nous appelons, dans notre vocabulaire médical, la comorbidité. Il s'agit de conditions qui existent simultanément à une maladie, sans qu'une cause commune soit connue. Par exemple, une personne peut être alcoolique sans souffrir du trouble bipo-laire. De même, une autre pourrait être bipolaire sans abuser de l'alcool. Mais on constate que plus de la moitié des person-nes bipolaires abusent de l'alcool ou d'autres substances. Les problèmes d'alcool sont donc un facteur de comorbidité à la bipolarité. Parmi les autres facteurs de comorbidité, l'anxiété avec notamment le trouble panique ou la phobie sociale se rencontrent aussi fréquemment. Finalement, le dernier et non le moindre est la prévalence du suicide. Le suicide est de 15 à 20 fois plus fréquent chez les bipolaires que dans la population en général. Le taux de suicide (de 17 à 19 %) y est même plus élevé que chez ceux qui souffrent de dépression unipolaire (de 10 à 15 %[1]).

Bipolarité et unipolarité

Le trouble bipolaire se distingue de la dépression majeure unipolaire (seulement des dépressions), d'une part, par sa nature cyclique et, d'autre part, par sa symptomatologie. De plus, la dépression majeure unipolaire se manifeste habituel-lement plus tard dans la vie. Alors que les premières manifesta-tions du TBP se présentent à l'adolescence, la dépression arrive après la vingtaine et encore plus fréquemment après 40 ans. Bien des gens confondent déprime et dépression majeure unipolaire. Il existe un acronyme qui permet de soupçonner fortement la dépression. Il s'agit de:

SICECAPS dans laquelle

S   veut dire sommeil (la personne a des troubles du sommeil);

---

1   YATHAM, L.N et collab., «Canadian Network for Mood and Anxiety Treatment (CANMAT) guidelines for the management of patients with bipolar disorder: consensus and controver-sies», *Bipolar Disorders,* juillet 2005, p. 5-69.

I   veut dire intérêt (la personne perd de l'intérêt dans les choses qu'elle aimait avant. Elle perd la capacité d'éprouver du plaisir);

C   veut dire culpabilité ou une grande démoralisation (la personne ressent une grande culpabilité);

E   veut dire énergie (la personne ressent une perte d'énergie, elle fonctionne au ralenti tant physiquement que moralement);

C   veut dire concentration (la personne a de la difficulté à se concentrer);

A   veut dire appétit (la personne note une perte ou une augmentation de son appétit);

P   veut dire psychomoteur (la personne fonctionne au ralenti);

S   veut dire suicide (la personne a tendance à s'isoler, à ressasser des idées noires et moroses, allant parfois jusqu'aux idées suicidaires).

Bipolarité et schizophrénie

Encore ici, bien des gens ne savent pas trop la différence entre ces deux maladies. La confusion tient à plusieurs facteurs. D'abord, il y a l'âge d'apparition des premiers symptômes qui, dans les deux cas, se produisent habituellement durant l'adolescence. Un autre facteur confondant est la psychose. Dans le TBP 1 et dans la schizophrénie, il peut y avoir présence de phénomènes hallucinatoires ou de délires (croyances fausses). Dans le cas du TBP, les délires se manifesteront surtout par une perception erronée à caractère grandiose, la personne pouvant s'imaginer empreint de pouvoirs spéciaux ou en communication avec Dieu, des extraterrestres, des premiers ministres. Chez celle atteinte de schizophrénie, ces mêmes délires seront plutôt de nature paranoïde, l'individu se sentant épié, voire menacé de mort. Pour compliquer le tableau de la confusion, imaginez un jeune qui arrive aux urgences d'un hôpital, qui est drogué à la cocaïne et qui décrit ses hallucinations. Il est pour le moins difficile de savoir immédiatement si nous avons affaire à un trouble bipolaire ou à une schizophrénie. Autre facteur semblable entre ces maladies, dans les deux cas, il y a un facteur génétique déterminant. On naît et on demeure aux prises avec le TBP ou la schizophrénie toute la vie.

Du côté des différences, alors que le TBP entraîne une altération de l'humeur, la schizophrénie cause une altération des perceptions sensorielles. Le plus souvent, ces altérations se présenteront sous forme d'hallucinations auditives; la personne dit entendre des voix qui n'existent pas. Mais elles peuvent aussi être visuelles (voir des gens qui n'existent pas ou qui sont morts) et même sensorielles particulièrement sous l'effet de drogues. Ainsi une personne qui a consommé de la cocaïne pourra sentir des petites bestioles qui se promènent sous sa peau. On croit d'ailleurs que la consommation de drogues est un facteur déclenchant de la schizophrénie. Les personnes qui possèdent des facteurs génétiques prédisposant à la schizophrénie et qui consomment de la drogue risquent fort de déclencher l'apparition de la maladie. S'ils n'avaient pas consommé de drogue, ou la maladie se serait déclenchée plus tard, avec moins de sévérité, ou peut-être même ne se serait-elle pas déclenchée du tout.

Bipolarité dans l'histoire

Nous soupçonnons bien des gens célèbres d'avoir souffert de TBP. Ainsi, certains tableaux du peintre Goya sont très sombres alors qu'à l'opposé d'autres sont illuminés. Van Gogh fait aussi partie de ce nombre. Le cas probablement le mieux documenté est celui du grand philosophe Friedrich Nietzsche, né en 1844 et mort en 1900, qui a lui-même décrit ses symptômes[2]. Certains grands hommes d'État étaient probablement bipolaires, dont Winston Churchill et Abraham Lincoln qui a souffert de dépressions répétées et a pensé au suicide. Parmi les musiciens, on note le grand Robert Schuman ainsi que Ludwig van Beethoven et chez les écrivains, Ernest Hemingway, Léon Tolstoï et Honoré de Balzac. Tous ces talents auraient-ils pu être encore plus productifs s'ils avaient bénéficié des soins aujourd'hui disponibles? Auraient-ils eu une vie moins tourmentée? Nous oserons répondre oui. L'élan créatif et l'énergie dépensée sont beaucoup plus producteurs s'ils sont bien gérés. Récemment, Margaret Trudeau a déclaré souffrir de trouble bipolaire, mais se sentir stable et heureuse depuis qu'elle a accepté de prendre des médicaments stabilisateurs de l'humeur.

Nous parlerons des médicaments en usage. De la découverte du premier médicament neuroleptique (le Largactil) par le neurophysiologiste français Henri Laborit en 1948, en passant par celui du carbonate de lithium par l'Australien John Cade, pour en arriver à l'utilisation des médicaments atypiques modernes; nous jetterons un regard sur ces thérapies, car nous croyons que lorsque le patient sait à quoi servent ses médicaments, il risque de demeurer plus fidèle à son traitement. L'abandon de traitement et surtout des médicaments constitue un fléau et une menace tant pour la qualité de vie de l'individu que pour sa survie même. L'histoire de bien des suicides s'explique

---

2   www.ammppu.org/litterature/nietzsche/syndr_nietzsche.htm

par l'abandon de la médication et la rechute dépressive ou psychotique qui s'ensuivit.

Nous aborderons d'autres aspects du trouble bipolaire. Ainsi, nous parlerons de la femme bipolaire enceinte et de celles qui allaitent leurs bébés. Les médicaments doivent être adaptés à ces situations particulières pour protéger la mère contre une rechute sans mettre en péril la santé du bébé par la médication. Nous aborderons aussi l'éventualité d'une dépression post-partum, plus fréquente et potentiellement plus sévère chez la femme souffrant de trouble bipolaire.

Le chapitre 4 sera consacré aux diverses psychothérapies qui viennent en aide à la personne souffrant de TBP. Les psychothérapies, qu'elles soient interpersonnelles, cognitivo-comportementales ou familiales sont un soutien fort utile pour améliorer bien des aspects de la vie des personnes atteintes. Par exemple, la psychothérapie aide grandement à accepter les changements de l'image de soi que vit régulièrement la personne atteinte. Elle aide à négocier les rapports à autrui, à comprendre et à gérer les problèmes financiers et parfois légaux qui affectent les personnes atteintes.

Quant aux groupes de soutien, ils permettent aux personnes atteintes d'échanger librement avec d'autres qui connaissent des problèmes similaires. Il existe des groupes de soutien pour les parents et conjoints de personnes atteintes. Ceux-ci ont un grand besoin de soutien et d'encouragement. Ces groupes se révèlent alors tout particulièrement efficaces. Vous trouverez en annexe une liste de groupes des diverses régions du Québec.

Nous espérons que ce livre encouragera la personne atteinte à consulter tôt. Plusieurs patients, il faut le souligner, auraient bien voulu commencer leur traitement 20 ans plus tôt, car souvent on tarde à consulter. Consulter tôt, ce sont plusieurs années en termes de qualité de vie qui sont sauvées. Il peut s'écouler plusieurs années avant même qu'un diagnostic de trouble bipolaire ne soit découvert. Plusieurs vont demeurer longtemps dans un déni parfois douloureux. En somme, chacun vit son propre cheminement et, pour plusieurs, la lecture de ce livre représentera une étape, espérons-la utile, dans cette quête d'un mieux-vivre.

La route ne sera pas toujours facile, la pilule miracle et encore plus celle du bonheur n'ont pas encore été inventées.

Ce livre se veut un guide et un outil pour vous aider à comprendre ce cheminement que sera le vôtre ou celui d'un de vos proches.

CHAPITRE 1

DE QUOI PARLONS-NOUS?

Une naissance, une promotion au travail ou un succès qui couronne ses efforts constituent des occasions qui vont entraîner la joie et la bonne humeur. Il n'y a rien de plus normal. À l'inverse, le décès d'un proche, la perte de son emploi ou un échec en affaires vont susciter la tristesse et la déception. Dans un cas comme dans l'autre, il s'agit d'émotions tout à fait normales.

Par contre, la dépression et la manie ne font pas partie des émotions normales. Cette oscillation entre des périodes d'excitation marquée (la manie) et de mélancolie profonde (la dépression) est le premier signe de la maniacodépression que l'on nomme de nos jours: le trouble bipolaire. Les termes manie et mélancolie ont été introduits dans le langage médical par Hippocrate, il y a plus de 2400 ans. En grec antique, *mania* signifie «folie» et le terme «mélancolie» vient de deux autres mots: *melein* qui veut dire «noir» et *cholé* qui se traduit par «bile». D'ailleurs aujourd'hui, nous utilisons toujours l'expression «se faire de la bile» pour décrire un état anxieux.

Entre les épisodes de manie et de dépression, la personne souffrant de trouble bipolaire n'affiche aucun dysfonctionnement particulier. Cette notion de fonctionnalité est primordiale: en phase manie et en dépression, le fonctionnement social et professionnel est altéré. Ces altérations peuvent varier en intensité. Dans les cas les plus graves, la personne ne peut absolument pas fonctionner, qu'elle soit en phase manie ou en dépression. Dans d'autres cas plus légers, l'individu pourra être moins efficace dans ses activités quotidiennes et professionnelles.

Nous avons, dans l'introduction, parlé de deux types de troubles bipolaires: le trouble bipolaire de type 1 et celui de type 2. Dans les deux cas, la phase dépressive se ressemble. En d'autres termes, la dépression pourra être aussi profonde pour un bipolaire de type 1 que de type 2. Ce qui distingue essentiellement les deux types est la phase manie. Le bipolaire de type 1 connaîtra des phases manie plus longues et surtout beaucoup plus sévères qui pourront même être accompagnées de psychose (de là l'expression: psychose maniacodépressive). Dans le cas du bipolaire de type 2, nous parlons plutôt d'hypomanie pour décrire une manie moins sévère. Il arrive que ce dernier tarde encore plus à se faire traiter, car il peut demeurer aussi productif (parfois même plus) en phase d'hypomanie. C'est donc en épisode de dépression qu'il désirera consulter.

La manie

La présence d'une phase de manie est ce qui distingue essentiellement le trouble bipolaire de la dépression unipolaire. Ce deuxième pôle est décrit comme étant la phase où l'humeur est exaltée. C'est l'émotion la plus agréable de cette phase qui apporte plus que son lot de désagréments. Celui qui a vécu plusieurs phases manies pourra remarquer qu'il y a des similitudes dans les prémices de cette phase. Pour certains, ce sera le besoin de sommeil qui sera le premier changement observable. D'autres deviendront tout à coup très agités, puis les troubles de sommeil apparaîtront. En d'autres termes, chacun peut en venir à identifier une séquence de modification (l'ordre dans lequel les symptômes apparaissent) qui marque le début de sa phase manie, un peu comme quelqu'un qui souffre d'épilepsie sent la crise arriver. L'identification de ces prémices, ou signes avant-coureurs, permettra aux bipolaires de devancer une consultation ou encore d'ajuster leur médication selon un protocole préétabli avec leur médecin traitant ou encore de se rendre dans un centre hospitalier pour traiter des comportements excessifs.

Plusieurs symptômes caractériseront la phase de manie[3]:

LE SOMMEIL

Ainsi, comme nous l'avons souligné, le besoin de sommeil variera rapidement. La personne qui avait l'habitude de dormir huit bonnes heures par nuit, ne passera que trois ou quatre heures par nuit au lit. Chaque personne observera une diminution notable de son besoin normal d'heures de sommeil. Une fois l'insomnie débutée, s'installe un cercle vicieux: moins le bipolaire dort, plus son humeur s'emballe et se dérègle, et cette humeur exaltée ou irritable entraînera à son tour plus d'insomnie.

L'ÉNERGIE

En phase de manie, la personne ressent une augmentation de son énergie. Celle-ci peut se traduire par des activités excessives dans les sphères sociales, professionnelles, scolaires ou sexuelles.

---

3   Voir le DSM IV (Diagnostic and Statistical Manual Revision 4), p. 165-166.

L'ESTIME DE SOI

On parle ici d'une inflation de l'estime de soi. Elle peut se manifester par des idées de grandeur, l'individu pouvant croire qu'il a des talents ou des dons particuliers, ou qu'il est en relation avec des personnes importantes dans la société, des présidents ou en contact direct avec Dieu.

LA VOLUBILITÉ ACCRUE

L'individu parle plus, avec plus de personnes et plus rapidement. Il ressent un grand besoin de communiquer ses idées et de se faire entendre, il se montrera irritable si l'on essaie de l'interrompre.

LA PENSÉE ACCÉLÉRÉE

Il s'agit d'une impression qu'a l'individu que ses pensées défilent très rapidement, elles semblent fuir les unes après les autres, tout se bouscule dans sa tête. La personne a également énormément d'idées et de projets plus ou moins réalistes.

LE DÉFICIT D'ATTENTION, L'HYPERACTIVITÉ

L'attention est exagérément distraite par une foule de stimuli extérieurs plus ou moins insignifiants. Tout l'intéresse. Ainsi, l'individu peut aborder un sujet, penser à autre chose, changer de sujet puis se mettre à explorer le numéro d'immatriculation d'une automobile qui vient de traverser son champ de vision et y voir un lien avec autre chose. En somme, son attention pourra ainsi changer rapidement d'objet en peu de temps.

L'EXCESSIVITÉ

Celle-ci peut se manifester de plusieurs façons: achats compulsifs, investissements à haut risque, conduite sexuelle débridée sans crainte des conséquences familiales, par exemple conduite automobile dangereuse, etc.

Lorsqu'au moins trois des symptômes ci-haut se sont manifestés de manière significative durant au moins une période de sept jours, nous pouvons parler d'un épisode de manie. De plus, ces comportements ne doivent pas être imputables à une autre cause (abus de substances, par exemple une drogue) ou à une autre condition médicale. Par exemple, la prise de drogue comme la cocaïne pourrait provoquer un état proche de la manie.

En phase de manie, l'individu ne peut pas fonctionner tant du point de vue professionnel que social et relationnel. Il arrive qu'il doive être hospitalisé soit pour éviter des consé-quences dangereuses tant pour lui que pour autrui, soit parce qu'il présente des symptômes de psychose: hallucinations visuelles ou auditives, paranoïa. L'hospitalisation aura aussi pour but d'éviter que la personne ne s'épuise dans l'hyperactivité ou ne se mette en situation financière désastreuse par des achats excessifs.

L'hypomanie

L'épisode hypomaniaque diffère du précédent en raison de la durée et de la sévérité des mêmes symptômes. Pour établir un diagnostic d'hypomanie, l'épisode doit durer au moins quatre jours, tandis que la manie s'étend sur une semaine et plus. L'hypomanie n'empêche habituellement pas l'individu d'exercer sa profession. Il demeure fonctionnel. De plus, il ne connaîtra pas d'épisodes de psychose, comme cela peut se produire dans le cas de la manie. Bref, en hypomanie, le fonctionnement de l'indi-vidu est modifié, mais à un degré moins sévère qui entraîne moins de conséquences dommageables pour lui. Cependant, durant une période d'hypomanie, la personne peut être plus active qu'à la normale et s'épuiser sans s'en rendre compte, ce qui peut induire une phase dépressive.

La dépression

Comme nous l'avons déjà souligné, l'intensité et la durée de l'épisode dépressif peuvent se révéler identiques qu'il s'agisse d'un trouble bipolaire de type 1 (avec manie) ou 2 (avec hypomanie). C'est d'ailleurs le plus souvent en période de dépression qu'une personne bipolaire de type 2 désirera consulter. Car, si elle a pu fonctionner tant en société que sur le plan professionnel en épisode hypomaniaque, il lui devient très difficile de traverser la situation en dépression.

Rappelons les signes caractéristiques de l'épisode de dépression. Les premiers indices se présenteront comme une humeur triste et/ou une perte d'intérêt ou de plaisir. En plus de ces symptômes, la dépression doit présenter au moins cinq des symptômes suivants pendant une période minimale de deux semaines[4] :

- La personne se plaint d'une humeur dépressive pratiquement durant toute la journée accompagnée de sentiments de tristesse, de vide et de pleurs. Chez l'enfant ou l'adolescent, cette sensation peut être remplacée par de l'irritabilité accrue.
- La personne constate une perte d'intérêt pour des choses qui lui plaisaient auparavant. Elle remarque aussi une perte de plaisir dans des occupations qu'elle considérait comme agréables.
- Le poids peut varier par une perte ou au contraire un gain. L'individu remarquera qu'il n'a plus d'appétit ou qu'il est devenu insatiable.
- Troubles du sommeil presque toutes les nuits se traduisant par un besoin accru de sommeil ou à l'inverse, par de l' insomnie.
- Ralentissement des gestes quotidiens. Les autres peu-

---

4   Voir le DSM IV, p. 164-165.

vent même remarquer que la personne marche moins vite. À l'inverse, la personne dépressive peut se sentir très agitée, avoir de la difficulté à rester en place.

- Sensation quotidienne de grande fatigue ou de perte d'énergie.
- Sentiment de culpabilité ou de dépréciation personnelle envahissant et pratiquement quotidien.
- Diminution importante de la capacité de concentration et de décision.
- Penser à la mort fréquemment et de manière détachée ou avoir des idées suicidaires et s'imaginer des scénarios de suicide, élaborer des plans en ce sens (souvent plus pour arrêter de souffrir, ou parce qu'on se sent un fardeau, que par véritable désir de mourir). Ces idées doivent toujours être prises au sérieux.
- Il n'y a pas de meilleures explications de ces symptômes, par exemple le deuil d'un proche ou une autre maladie comme l'hypothyroïdie ou un cancer.

Dans les cas les plus sévères, la dépression peut entraîner des hallucinations (voir des choses qui n'existent pas) ou des délires (croire en des choses fausses).

Les épisodes mixtes

Dans cette forme du trouble bipolaire, durant la même journée, la personne présentera à la fois des symptômes de manie et de dépression, et cet état se présentera presque tous les jours pendant au moins une semaine. Durant un épisode mixte, ces perturbations seront suffisamment graves pour affecter grandement le fonctionnement professionnel, social et interpersonnel comme dans la phase manie chez le bipolaire de type 1. Souvent une hospitalisation sera requise pour prévenir tout acte dangereux pour la personne ou pour ceux qui l'entourent. On peut aussi retrouver des psychoses comme dans la manie. Il faut noter qu'un bipolaire 1 ou un bipolaire 2 peut connaître des épisodes mixtes. Il convient ici d'être particulièrement attentif, car lors d'un épisode mixte, les risques de suicide sont accrus. En effet, l'individu se sent très mal étant agité et déprimé en même temps.

La cyclothymie

Les cycles hypomanies et dépressions se succéderont avec moins d'intensité mais de manière observable sur une période d'au moins deux ans. Les symptômes de la dépression sont plus légers que ceux observés chez les bipolaires de type 1 et 2 et dans les épisodes mixtes. L'individu notera qu'il ne se passe pas plus de deux mois entre chaque épisode. Durant cette période de deux ans, aucun épisode de manie ou de dépression majeure n'a été expérimenté. Il s'agit d'un état qui normalement ne nécessite ni hospitalisation ni médication. C'est un trouble chronique plus léger qui peut se traiter avec une psychothérapie, mais qui parfois nécessitera une médication s'il devient plus invalidant.

Le cycle rapide

Les cycles d'alternance entre périodes de manie et épisodes dépressifs se mesurent généralement en années. Un individu peut connaître un épisode de manie, revenir à la normale pendant de longues périodes avant de vivre une phase de dépression. Parfois, il peut même s'écouler plusieurs années entre une dépression et un nouvel épisode de manie, si bien que certains se croient guéris ou mettent en doute le diagnostic et décident de cesser leur médication. Dans le cycle rapide qui peut affecter un bipolaire de type 1 ou 2, il pourra, par exemple dans une même année, y avoir jusqu'à quatre cycles de manie-dépression.

Le nombre de cycles

Le nombre absolu de cycles peut varier, entre autres, en fonction du type de bipolarité. Le bipolaire 2 pourrait connaître plus de cycles durant sa vie qu'un bipolaire de type 1 qui, selon les données, vivra environ cinq épisodes de manie, et de sept à huit de dépression.

L'importance du diagnostic

L'acceptation d'une maladie chronique quelle qu'elle soit est un processus qui diffère beaucoup d'un individu à un autre. Pour certains, le fait de recevoir un diagnostic leur permettent de pouvoir nommer la détresse et le désarroi ressentis depuis tant d'années, et leur procure un soulagement. Pour d'autres, le diagnostic sera perçu comme un choc, voire une insulte: «Moi, souffrir d'une maladie mentale? Impossible!» Mais après plusieurs échecs et beaucoup de souffrance entremêlée de moments enthousiastes et de grandes émotions euphoriques, suivis d'autres périodes creuses et parfois d'hospitalisations, après avoir envisagé le suicide comme une solution, peut-être qu'alors seulement, le diagnostic et les solutions de traitement proposées pourront être perçus comme une lueur d'espoir dans l'obscurité. En somme, chacun risque de percevoir différemment son diagnostic tant par rapport au type de diagnostic que par rapport au moment où il le reçoit. Comme nous l'avons souligné, c'est suivant son cheminement personnel qu'un individu sera prêt ou non à accepter le diagnostic et les traitements proposés. Le trouble bipolaire est une maladie chronique, et l'accepter, c'est comprendre en même temps que le traitement comporte plusieurs aspects de psychothérapie personnelle, de changement dans les habitudes de vie et de prise d'un médicament stabilisateur de l'humeur. Ce livre se veut des plus respectueux envers le cheminement de chacun devant la maladie.

Une histoire

Dans bien des cas, la personne aura connu des phases où elle était très heureuse quand tout allait bien et fort triste quand les choses tournaient mal. Jusque-là, rien de très différent de ce que tous et chacun expérimentent au quotidien. Mais un jour, la tristesse se fait plus profonde et la vie semble de plus en plus pesante. Ce qui l'amusait lui devient indifférent. L'individu pleure souvent et on ne reconnaît plus le boute-en-train ou l'homme rempli de projets qui était là, il y a quelques jours à peine. Ses habitudes semblent avoir changé du tout au tout. Celui qui dormait peu éprouve de la difficulté à se réveiller après 12 heures de sommeil. Celui qui avait tendance à trop manger n'a plus faim. En somme, l'individu ne se reconnaît plus et son entourage sent qu'il a changé considérablement. La souffrance en période dépressive est l'élément qui, dans bien des cas, poussera l'individu à consulter et à accepter un traitement. Quand il s'agit d'un jeune, ce sont généralement les parents qui, ne reconnaissant pratiquement plus leur enfant, l'amèneront à consulter.

D'un épisode à l'autre

Plusieurs facteurs peuvent provoquer le passage vers un épisode de manie ou de dépression. Le stress en est un. Par exemple, un individu bipolaire apprend que son emploi est menacé. Cette mauvaise nouvelle peut l'affecter de deux façons. Le soir où il a eu vent de cette rumeur, il est incapable de trouver le sommeil, il réfléchit aux conséquences de cette situation. Ce manque de sommeil est susceptible d'amorcer une phase de manie. À l'opposé, la remise en question de son emploi peut le plonger vers une dépression. S'il vient tout juste de consentir beaucoup d'énergie à son travail et est fatigué, ce stress pourra l'amener à considérer que tous ses efforts ont été vains.

Certains médicaments, l'alcool et les drogues sont d'autres facteurs déclencheurs. Un exemple: un bipolaire se voit prescrire de la cortisone pour pallier une crise particulièrement aiguë d'asthme. Ce médicament a comme effet d'accélérer le métabolisme (fonctionnement) corporel et est donc susceptible de déclencher une phase de manie. Plusieurs drogues ont un effet stimulant qui, en diminuant le besoin de sommeil, deviennent un facteur déclencheur de la manie. L'alcool est un dépresseur du système nerveux central. En réalité, la consommation d'alcool engendre dans un premier temps une légère stimulation suivie quelques heures plus tard d'une dépression du système nerveux. Certains bipolaires auront tendance à recourir à l'alcool pour éviter de vivre un épisode dépressif alors qu'en fait, l'alcool va précipiter l'épisode. Cependant, en altérant le sommeil, l'alcool peut induire une phase de manie. Un autre effet néfaste de l'alcool pour la personne bipolaire est l'augmentation de l'agressivité. Comme en phase de manie, l'irritabilité est augmentée, alcool et manie peuvent former un «cocktail» explosif. Plusieurs patients se plaignent du degré d'agressivité élevé d'un foyer où l'un des parents est bipolaire et consomme de l'alcool. Dans un autre ordre d'idées, une insomnie provoquée par un surcroît de travail (par exemple l'étudiant qui doit absolument remettre un travail pour le lendemain et passe la nuit debout à rédiger) ou par un voyage (un voyageur se rend en Europe et, à cause du décalage, passe une nuit sans dormir) peut engendrer une phase de manie. Pour un bipolaire 1, une seule nuit ratée peut être suffisante pour activer une phase de manie. Certains événements incontrôlables de la vie courante peuvent servir de déclencheurs à un épisode de manie ou de dépression comme une bonne ou une mauvaise nouvelle, une naissance ou un décès, une perte ou une rentrée d'argent, un épuisement consécutif à un surplus de dépense d'énergie ou à une maladie. Un bipolaire attentif à ces signes peut réagir à temps et, en adaptant ses traitements avec son médecin, pourra probablement prévenir une rechute.

Qui voit quoi et quand?

En période dépressive, tant la personne souffrante que son entourage sont à même de constater que ça ne va vraiment pas. Par contre, en épisode de manie, l'entourage seul réalisera qu'il y a problème. Le bipolaire 1 en manie perd la capacité de s'évaluer et le bipolaire de type 2 en hypomanie se sentira très bien et heureux, parfois mieux qu'il ne l'a jamais été dans sa vie. Les gens de l'entourage s'apercevront que la personne est inadéquate, parle trop vite, dépense trop et ne dort pas assez. Par exemple, une femme pourra s'habiller de façon très provocante, se maquiller exagérément, sortir plus, conduire son automobile de façon dangereuse. En somme, l'entourage réalise que la personne n'est pas dans son état normal.

En résumé, les premières manifestations perceptibles du TBP se produisent généralement à l'adolescence. Elles sont alors plus difficiles à identifier, car elles prennent différentes formes. Nous citions plus haut l'exemple de cette femme qui s'habillait de façon osée. Bien des adolescentes vont vouloir se démarquer, et ne sont absolument pas bipolaires. Les symptômes du trouble bipolaire à l'adolescence sont plus subtils. La maladie peut débuter par une dépression ou être précédée d'un trouble anxieux. On observe parfois une timidité excessive, de la phobie

sociale, des attaques de panique ou un trouble obsessionnel compulsif (un jeune doit vérifier et revérifier plusieurs fois si sa porte est bien verrouillée, ou se lave les mains des dizaines de fois par jour par peur des microbes). Un parent qui voit son jeune tantôt très énergique (étudie beaucoup, sort beaucoup, rentre tard), tantôt plus renfermé (le plus souvent dans sa chambre avec la porte fermée, ne fréquente plus ses amis) pourrait l'inciter à consulter pour s'assurer qu'il ne s'agit pas d'un trouble bipolaire, surtout si les symptômes persistent pendant plusieurs mois. Certains parents croiront en premier lieu que leur adolescent s'est mis à consommer des drogues, ce qui peut d'ailleurs s'avérer exact. Mais que ce soit le cas ou non, une première rencontre avec le médecin de famille peut déjà ouvrir des pistes de réponses. Si ce n'est toujours pas clair, celui-ci pourra décider de référer le jeune patient en psychiatrie. Le psychologue de l'école peut être une porte d'entrée utile et les organismes d'entraide, une source d'information des plus pertinentes avec l'avantage d'être rapidement accessible. Nous y consacrerons plus loin un chapitre entier.

CHAPITRE 2

LES ORIGINES

Pour expliquer les origines du trouble bipolaire, de nombreuses approches ont été envisagées. La cause est-elle d'ordre physique, psychologique, héréditaire? Le consensus actuel tend à favoriser toutes ces réponses à la fois. Comme c'est souvent le cas pour plusieurs maladies, tant physiques que mentales, nous sommes en présence d'une fragilité héréditaire qui risque de s'exprimer plus tôt en présence de facteurs héréditaires, psychologiques, biologiques et environnementaux.

L'hérédité n'est pas une fatalité

Prenons l'exemple d'une maladie physique. Si votre père, votre grand-père et certains de vos oncles sont tous décédés dans la cinquantaine de maladie cardiaque, les risques que votre cœur affiche les même faiblesses en sont augmentés. Mais si vous ne fumez pas, si vous conservez toujours votre poids santé et faites de l'exercice physique régulièrement, vous pouvez très bien décéder à 94 ans d'une pneumonie ou de tout autre cause. Le trouble bipolaire présente certaines similitudes avec cet exemple. Comme nous le verrons, plusieurs facteurs laissent croire qu'une prédisposition héréditaire existe bel et bien. Certains autres facteurs, par exemple, la consommation de drogue, pourraient favoriser l'apparition plus hâtive de la maladie.

Pour bien comprendre l'importance de ces facteurs déclencheurs, examinons-les un à un.

LES FACTEURS HÉRÉDITAIRES

La question pourrait se poser clairement en ces termes: «Si vos parents et certains membres de leurs familles respectives (vos grands-parents, tantes et oncles) souffrent de trouble bipolaire, vos risques d'en être atteint sont-ils augmentés?» La réponse est oui. Vous êtes alors sept fois plus à risque de développer un trouble bipolaire. En d'autres termes, les risques d'un individu de souffrir de trouble bipolaire 1 ou 2 sont, en général, de 1 à 6 %. Si des membres de votre famille proche en sont atteints, les risques grimpent à 7 %[5]. Pour les jumeaux identiques, si la maladie se déclare chez l'un des deux, l'autre court entre 45 et 75 % de risques d'être lui aussi atteint. Les recherches effectuées portent surtout sur le trouble bipolaire de type 1, mais tout porte à croire que le trouble bipolaire de type 2, les troubles mixtes et ceux qui connaissent des rythmes rapides obéissent aux mêmes probabilités. Ces études démontrent en somme deux points importants: tout d'abord, les gènes jouent très certainement un rôle dans le fait d'être ou non atteint de trouble bipolaire. Mais elles prouvent aussi que la transmission héréditaire N'EST PAS le seul facteur en cause et n'est certainement pas obligatoire.

LE RÔLE DE LA GÉNÉTIQUE

Il semble que plus il y a de membres de générations antérieures ayant souffert de trouble bipolaire, plus la fréquence de la maladie augmente et plus elle se manifeste tôt. Voici un

---

5   BAUER, M. et collab., «Collaborative care for bipolar disorder: part I. Intervention and implementation in a randomized effectiveness trial», *Psychiatric services*, vol. 57, no 7, 2006, p. 927-936.1.

exemple qui tente d'illustrer ce mécanisme. Dans une famille, l'arrière-grand-père a souffert de maladie bipolaire vers l'âge de 40 ans. Parmi ses descendants, 3 en ont été atteints et leur maladie s'est déclarée en moyenne à 28 ans. Parmi les descendants de ceux-ci, il y a eu 12 membres atteints et c'est vers l'âge de 17 ans qu'ont eu lieu les premières manifestations du trouble bipolaire. Il n'y a donc pas de doute que les gènes sont impliqués dans la transmission de la maladie d'une génération à l'autre. Il n'existe pas un gène du trouble bipolaire, mais plutôt plusieurs gènes ou encore une combinaison de gènes qui favorisent une sensibilité, une fragilité accrue à la maladie.

L'HÉRÉDITÉ N'EXPLIQUE DONC PAS TOUT

Dans le cas de jumeaux identiques, nous savons qu'ils partagent exactement le même bagage génétique. Si les gènes étaient le seul facteur en cause, si l'un des jumeaux était atteint, l'autre le serait aussi puisqu'ils ont précisément les mêmes gènes. Or, dans 25 à 55 % des cas selon les études, l'un des jumeaux est atteint et l'autre pas[6]. Ce qui explique que nous sommes convaincus qu'il existe d'autres facteurs d'ordre biologique ou environnemental pour expliquer l'origine du trouble bipolaire[7].

BIENFAITS ET LIMITES DE LA THÈSE GÉNÉTIQUE

Bien sûr, s'il devenait possible d'identifier les gènes ou les combinaisons génétiques susceptibles d'augmenter la fragilité à la maladie, les avantages, mais aussi les inconvénients de cette découverte seraient à considérer. Sur le plan du diagnostic,

---

6 GERSHON, ES. et collab., «A family study of schizoaffective bipolar I, bipolar II, unipolar and control probands», *Arch Gen Psychiatry*, vol. 39, 1982, p.1157-1167.

7 MÜLLER-OERLINGHAUSEN, B. et collab., «Bipolar disorder», *Lancet*, vol. 359, n° 9302, 19 janvier 2002, p. 241-247.

l'identification de gènes précis apporterait un élément supplémentaire fort valable. Il n'existe présentement aucun test qui
puisse assurer le thérapeute que l'individu en face de lui est sans
nul doute atteint du trouble bipolaire, contrairement à plusieurs
autres maladies comme le diabète où il est possible de mesurer
le taux de sucre dans le sang, l'ostéoporose où il est possible
de mesurer la densité osseuse. Mais comme nous l'avons vu, il
est fort possible que l'identification des gènes, lorsqu'elle
sera possible, puisse nous dire que tel individu possède une
fragilité plus grande qu'un autre face à la maladie. Étiqueter un
individu portant une fragilité au trouble bipolaire, surtout en
bas âge, peut avoir un effet catastrophique sur bien des aspects
pratiques de sa vie. Un tel individu trouvera-t-il un employeur
pour l'embaucher? Une compagnie d'assurances acceptera-t-elle
de signer un contrat? Un conjoint acceptera-t-il de partager sa
vie avec lui? Il faut se rappeler que le fait de posséder tous
les gènes en cause ne fera pas en sorte qu'un individu souffrira
nécessairement du trouble bipolaire. Il n'aura qu'un risque
accru d'en être atteint (rappelons le cas des jumeaux identiques
où la maladie peut se déclarer chez l'un et pas chez l'autre).
En somme, la recherche de l'identification des gènes du TBP
apportera la compréhension des mécanismes de la maladie
et, conséquemment, la découverte de thérapies plus précises
et plus efficaces[8].

LES FACTEURS BIOLOGIQUES

Le cerveau est composé de plusieurs milliards de cellules
nerveuses (appelées neurones). Ces cellules sont connectées
entre elles pour partager diverses informations qui leur
parviennent en partie par les sens (la vue, l'ouïe, le toucher...)

---

8   MAZIADE, M. et collab., «Génétique de la schizophrénie et de la maladie bipolaire»,
    M/S:médecine sciences, vol. 19, n° 10, 2003, p. 960-966.

et par d'autres neurones qui proviennent d'autres organes du corps (les muscles, l'estomac, le foie). Vous voyez ici un neurone grossi des dizaines de milliers de fois au microscope électronique. Pour faire passer l'information d'un neurone à un autre, le cerveau dispose de deux mécanismes complexes: l'électricité et la biochimie. On peut obtenir un exemple de transmission électrique du cerveau par les mesures d'un électroencéphalogramme. Il s'agit d'un test où des électrodes sont appliquées sur le cuir chevelu et mesurent l'activité électrique du cerveau. L'autre mécanisme est plus complexe. Pour que l'électricité induite par un neurone passe dans un autre, il existe un point de jonction entre les deux neurones qu'on appelle une synapse. Cette dernière sécrète, par ses vésicules synaptiques, un liquide qu'on appelle un neurotransmetteur, qui va permettre au courant du neurone A de passer dans le neurone B, qui possède des

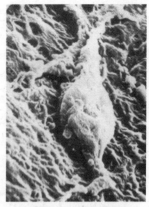

Neurone vu au microscope électronique à balayage

Synapse avec vésicules synaptiques photographiée au microscope électronique à balayage

récepteurs appropriés à ce neurotransmetteur. En l'absence de ce neurotransmetteur, ou de récepteur approprié, la transmission entre neurones devient impossible. Il existe une grande quantité de neurotransmetteurs comme la dopamine, la sérotonine, l'adrénaline, la noradrénaline, l'acétylcholine. Le cerveau étant économe, il a adopté des mécanismes pour récupérer certains de ces neurotransmetteurs; ce sont les «recapteurs». Nous savons que dans les cas de troubles bipolaires, certains de ces mécanismes ne fonctionnent pas correctement. Nous le savons pour deux raisons. La première nous vient de l'expérimentation en pharmacologie.

Les études pharmacologiques évaluant l'efficacité de plusieurs types de médicaments ont permis de découvrir que trois neurotransmetteurs étaient principalement en cause: la sérotonine, la dopamine et la noradrénaline. Une déficience du premier serait présente dans la phase dépressive; une augmentation du deuxième est signalée durant la période manie; et le troisième interviendrait plus ou moins directement sur le sommeil. Et l'on sait qu'un dérèglement du sommeil est susceptible de provoquer le passage en phase de manie ou en phase dépressive. La deuxième raison indiquant les origines biologiques du trouble bipolaire nous vient de la découverte que certains neurones sont altérés, particulièrement durant la phase dépressive. Durant cette phase, des neurones situés dans la région du cerveau appelée l'hippocampe meurent. Si les phases dépressives durent longtemps ou se répètent souvent, de grandes quantités de ces neurones seront détruites, augmentant ainsi le risque de rechutes dans des états dépressifs de plus en plus sévères. La bonne nouvelle à ce stade, et nous le verrons plus en détail dans le chapitre portant sur les traitements, est que certains médicaments, notamment les antidépresseurs, le lithium, les atypiques ainsi que la sismothérapie peuvent inverser le processus.

Dans le cerveau, les neurotransmetteurs (messagers chimiques) sérotonine, noradrénaline et dopamine sont impliqués dans la dépression et sont reliés entre eux, si bien qu'ils s'influencent les uns les autres dans leurs actions sur le cerveau.

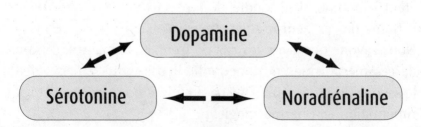

Le stress peut précipiter ou exacerber la dépression et les autres troubles de l'humeur (trouble bipolaire).

Comme la dépression, le stress chronique entraîne une atrophie ou une dégénération des neurones de l'hippocampe, une partie du cerveau dont relève entre autres la mémoire.

Le stress diminue la neurogénèse (fabrication de nouveaux neurones) et peut induire des rechutes.

L'environnement

Il ne s'agit pas ici de l'environnement au sens où les groupes environnementalistes l'expriment. Nous parlons du milieu dans lequel un individu naît, grandit et vit. Il s'agit d'une écologie qui sera propre à favoriser ou non l'éclosion des problèmes bipolaires. Voyons ces deux exemples.

EXEMPLE 1

Antoine naît dans une famille dont le père, un bipolaire non diagnostiqué, est alcoolique et la mère vogue d'une dépression majeure à l'autre. Antoine se retrouve, de fait, dans un milieu qui favorisera une éclosion précoce du trouble bipolaire chez lui. S'il réside dans cette famille dysfonctionnelle jusqu'à l'adolescence, les modèles dont il dispose lui ont inculqué que la vie est ainsi faite de hauts, de bas, de violence conjugale, de faillites, etc. Pour lui, cette suite de drames est SA normalité. On ne peut pas vivre deux fois: une fois chez des parents dysfonctionnels et une autre chez des parents modèles, Antoine ne peut donc pas connaître la différence. Sa norme vécue est constituée d'états contrastants d'euphorie dans le foyer familial entrecoupés de périodes de relâche suivies de dépression et de violence.

Dans un tel contexte, l'enfant aura tendance à trouver des moyens de se protéger. Il pourra chercher des appuis en dehors du milieu familial, dans des groupes d'amis. Il pourra un jour expérimenter une drogue quelconque, et si, par malheur, il en ressent un sentiment de force et se sent accepté du «milieu», il pourra développer une dépendance beaucoup plus rapidement qu'un autre enfant. Cette dépendance pourrait masquer un problème de trouble bipolaire.

Nous venons d'examiner la vie d'un jeune adulte, dont l'hérédité (père et mère bipolaires), la biologie et l'environnement favorisent tous ensemble (et non particulièrement un facteur plus qu'un autre) l'apparition du trouble bipolaire tôt chez cet individu.

EXEMPLE 2

Prenons le même individu, avec les mêmes dispositions génétiques et biologiques. À la suite d'une dispute familiale dans l'automobile, ses deux parents meurent dans un accident de la route, juste après la naissance d'Antoine. Cet orphelin d'à peine quelques jours est adopté par une famille des plus fonctionnelles qui vit dans la stabilité et l'harmonie. Ses risques génétiques et biologiques demeurent les mêmes, mais il est fort possible qu'en vivant une vie ainsi épanouie, il n'éprouve aucun besoin de toucher aux drogues durant sa jeunesse et son adolescence et qu'il entreprenne une vie aussi stable que celle qu'il a connue chez ses parents adoptifs. Mais s'il perd son emploi, ou à la suite du décès d'un proche, il se peut que ces stress éveillent en lui la maladie bipolaire restée latente jusque-là.

Ces histoires fictives illustrent les liens qui existent entre les facteurs génétiques, biologiques et environnementaux dans le développement du trouble bipolaire. Personne ne peut devenir bipolaire. On naît et, jusqu'à ce qu'on découvre une thérapie qui guérisse la maladie, on meurt bipolaire. Il est possible en modifiant l'environnement du bipolaire et sa biologie cérébrale (par les médicaments) de contrôler l'apparition et la sévérité des symptômes.

Comprendre ces trois facteurs est de toute première importance, car si on ne peut rien contre le facteur génétique, on devrait être conscient des deux autres facteurs. Il est souvent possible de contrôler l'aspect biologique en rétablissant un certain équilibre sur le plan neurologique par des médicaments appropriés. Mais il ne faudrait jamais oublier l'environnement. La psychothérapie et le suivi psychologique se révèlent très importants à cet effet. En d'autres termes, le suivi psychosocial est tout aussi important que l'assurance de la fidélité aux médicaments si l'on veut éviter les rechutes. Une partie de ce soutien peut venir d'une psychothérapie, une autre de l'entourage (parents et amis) et l'autre de la personne atteinte elle-même, consciente de ses limites et de ses risques.

L'ordre de priorité

En réalité, si les facteurs génétiques et biologiques n'existent pas, il n'est pas possible d'être atteint d'un trouble bipolaire. En supposant que ces deux facteurs existent chez un individu, le facteur environnemental (milieu familial, consommation de drogue, d'alcool, stress, etc.) devient prioritaire. Voici un tableau qui illustre ces mécanismes[9]:

Dans un monde idéal, face au trouble bipolaire:
  • La génétique et l'hérédité permettraient de savoir si un individu est plus fragile.

---

9   FRANK, E., *Treating Bipolar Disorder: a clinician's guide to Interpersonal Psychotherapy and Social Rythm Therapy*, New York, Guilford, traduction de Bastien Ouellet, CHRG, IUSM, 2006, p. 22.

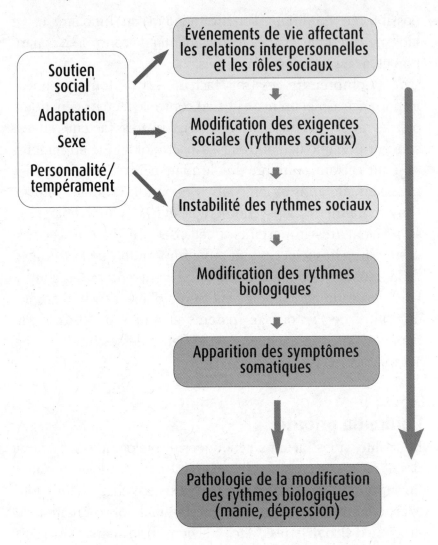

- La médecine pourrait, par une pharmacothérapie précise, mieux contrôler les symptômes en diminuant leur fréquence et leur sévérité.
- La psychothérapie permettrait d'identifier les facteurs environnementaux susceptibles de provoquer soit un arrêt des médicaments, soit une rechute, soit les deux.

À quoi servent les neurotransmetteurs (NT)?

SÉROTONINE

C'est le grand frein comportemental (inhibiteur) dans le cerveau. Il contrôle l'impulsivité. Il aide à réguler l'humeur, l'anxiété, l'agressivité, l'appétit, la sexualité et le sommeil. Des taux anormalement bas de sérotonine ont été retrouvés dans le cerveau de personnes suicidées et dans des comportements violents. La drogue ecstasy détruit des terminaisons nerveuses sérotoninergiques.

NORADRÉNALINE

La noradrénaline aide à l'apprentissage, à l'attention/concentration, à la mémoire, à l'éveil et la sociabilité. Ce NT est impliqué dans les troubles attentionnels, la dépression et l'anxiété.

DOPAMINE

Contrôle le plaisir et la capacité à apprécier ce qu'on fait. Il participe également à l'attention/concentration, au mouvement et aux comportements d'exploration. C'est lui qui est impliqué dans la psychose et dans la maladie de Parkinson.

GABA

C'est lui aussi un NT inhibiteur qui calme, relaxe et réduit la fréquence cardiaque. Les médicaments benzodiazépines qui diminuent l'anxiété et aident au sommeil agissent via ce NT. C'est la cas également des techniques de relaxation.

GLUTAMATE

C'est un excitateur qui stimule le cerveau et le système nerveux. Certains médicaments qui traitent la manie bloquent ce neurotransmetteur.

ACÉTYLCHOLINE

Ce NT sert à plusieurs fonctions physiologiques et également au contrôle des mouvements. C'est aussi le messager chimique de la mémoire. Les zones du cerveau qui utilisent le plus la choline dégénèrent dans la maladie d'Alzheimer.

CHAPITRE 3

LES TRAITEMENTS PHARMACOLOGIQUES

«Une part de mon entêtement est à mettre au compte de la nature humaine. Il est difficile à quiconque souffre d'une maladie chronique ou aiguë de suivre son traitement à la lettre. Symptômes atténués ou disparus, c'est encore plus dur. Dans mon cas, une fois que je me suis sentie de nouveau bien, je n'ai plus eu le désir ni la motivation de continuer à prendre mes médicaments. Déjà, pour commencer, je ne voulais pas les prendre. J'avais du mal à tolérer les effets secondaires. Mes envolées me manquaient. Et, quand je me sentais redevenir normale, il m'était facile de nier que j'avais une maladie récurrente.»

Kay Redfield Jamison
Psychiatre et bipolaire
De l'exaltation à la dépression

C omme c'est souvent le cas dans de nombreuses sphères de la santé, pour le trouble bipolaire, il n'existe pas de médicaments qui guérissent la maladie une fois pour toutes. Par contre, la médecine dispose d'un bon arsenal pharmaceutique pour contribuer à contrôler le trouble bipolaire et permettre aux personnes qui en sont atteintes de mener une vie normale. La découverte du lithium, en 1949, apporta beaucoup de bénéfices dans le traitement des épisodes de manie, si bien que dès les années 60, l'usage du fameux sel fut élargi et ne servit plus seulement en phase manie, mais de manière préventive chez tous ceux qui souffraient du trouble bipolaire.

L'usage plus répandu du lithium permit de constater que certains bipolaires répondaient mieux au traitement que d'autres. Ces bons répondeurs au lithium (de 60 à 70 % des patients bipolaires[10]) sont ceux qui ont des manies correspondant à la description classique d'Emile Kraepelin, un éminent psychiatre du début du siècle, avec une humeur euphorique, une élocution rapide avec jeux de mots, une surexcitation joyeuse avec achats excessifs, des projets fantastiques et une sexualité débridée[11].

Une réponse familiale positive au lithium peut indiquer qu'une personne pourrait bien répondre à ce médicament. Cependant, pour d'autres bipolaires, surtout ceux qui présentent des phases mixtes avec humeur triste, irritable et paranoïde, à cycles rapides, ou ceux qui ont de nombreuses récidives, d'autres avenues thérapeutiques utilisant des mécanismes d'action pharmacologiquement différents ont été découvertes. Nombreux sont les bipolaires qui utiliseront une combinaison de deux et parfois plusieurs stabilisateurs de l'humeur pour traiter certaines rechutes maniaques ou dépressives ou pour atteindre une rémission complète et prolongée de leur maladie.

Les trois font la paire

À ce jour, trois types de médicaments sont utilisés pour stabiliser l'humeur des personnes atteintes du trouble bipolaire: des sels de lithium, des antiépileptiques et des

---

10 GOLDBERG, J.F., «Treatment of bipolar disorders», *Psychiatric clinics of North America: annual of drug therapy*, vol. 7, 2000, p. 115-149.

11 BOWDEN, C., «Clinical correlates of therapeutic response in bipolar disorder», *J Affect Disord*, vol. 67, 2001, p. 257-265.

antipsychotiques. À ceux-ci, le médecin pourra ajouter, avec prudence, des antidépresseurs selon les besoins. Entreprenons donc un tour d'horizon de ces divers médicaments.

GROUPE 1 : LE LITHIUM

Comme nous l'avons souligné, le lithium fut l'un des premiers médicaments à démontrer son efficacité dans le traitement du trouble bipolaire. Il continue d'être recommandé comme l'un des médicaments de premier choix dans le traitement aigu et à long terme du trouble bipolaire, et ce, pour diverses raisons. Plusieurs études et de nombreuses années d'expérience ont démontré son efficacité et sa bonne tolérance relative. Le lithium est l'un des seuls médicaments ayant démontré un effet protecteur contre le suicide, s'il est, bien évidemment, pris régulièrement. Toutefois, les risques de rechute sont élevés lorsque les patients cessent le lithium, même si plusieurs années se sont écoulées depuis le dernier épisode dépressif ou de manie.

Comme effets secondaires, le lithium peut causer des nausées et de la diarrhée, surtout si sa prise est débutée ou augmentée rapidement. Une augmentation graduelle et la prise de lithium avec les repas réduisent ces problèmes. Le lithium étant un sel, il peut causer la soif et comme il est éliminé par les reins, il peut entraîner, quoique rarement, des problèmes rénaux à long terme. Un suivi du fonctionnement des reins à l'aide de prises de sang et d'examens d'urine est recommandé chaque année. D'autres effets secondaires assez fréquents sont les tremblements, la somnolence et le gain de poids. Le lithium se mesure dans le sang et cela aide à savoir précisément quelle dose administrer à chaque personne pour obtenir la concentration efficace dans le traitement des épisodes aigus et la prévention des rechutes, et limiter les effets secondaires. Ainsi, une concentration de 0,6 à 0,8 mEq/l est habituellement visée pour la prévention des rechutes, alors qu'en phase de manie, on cherchera à augmenter la concentration autour de 1 à 1,2 mEq/l. Cependant, à concentration plus élevée, le lithium peut causer une intoxication, sérieuse et potentiellement mortelle, qui se manifeste par de la diarrhée, des vertiges, des troubles d'équilibre et de la confusion.

De façon moins fréquente, mais importante à dépister, on peut voir apparaître un débalancement de la glande thyroïde (surtout de l'hypothyroïdie) et ce, plus fréquemment chez les femmes. Chez les personnes plus âgées, un électrocardiogramme peut révéler des changements, ce qui nécessite l'arrêt du lithium chez ceux souffrant de maladie cardiaque. Une prise quotidienne régulière du lithium combinée à un style de vie sain, incluant l'exercice, peut éviter le gain de poids et permettre aux bipolaires de type 1 et 2 qui sont de bons répondeurs au lithium de vivre plusieurs années sans rechute. Une rechute peut survenir sous lithium, mais le plus souvent, c'est dans la situation où la personne, se sentant guérie, cesse de prendre sa médication. Il arrive qu'une rechute survienne parfois même après 10 ans de stabilité. Il n'en demeure pas moins que les bons répondeurs au lithium peuvent rester stables et mener une vie active, créative et pleine de richesses pour la société dont ils font partie.

Lithium

Avantages/ particularités	Inconvénients/effets secondaires possibles	Conseils
• Efficace en monothérapie dans le traitement à long terme du trouble bipolaire et des rechutes dépressives ou maniaques • Efficace pour augmenter l'effet des antidépresseurs dans la dépression unipolaire résistante • Seul médicament avec effet protecteur démontré contre le suicide chez les bipolaires • Un des médicaments les plus étudiés • Peu coûteux	• Moins efficace dans les états mixtes et les cycles rapides • Soif • Diarrhée/nausées • Gain de poids • Tremblements • Somnolence • Troubles d'équilibre • Hypothyroïdie (peut nuire à la stabilité de l'humeur) • Dysfonction rénale • Trouble du rythme cardiaque • Acné/psoriasis • Perte de cheveux • Tératogène pour le fœtus • Dosages sanguins nécessaires pour avoir la concentration efficace et éviter la toxicité	• Pour diminuer les tremblements, réduire la caféine (café, thé, cola) • Pour les nausées, divisez la dose et prenez-la avec les repas • Hydratez-vous bien l'été ou en cas de diarrhée ou de vomissements* • Attention aux interactions avec d'autres médicaments et produits en vente libre comme les anti-inflammatoires de type Advil ou Motrin, qui haussent la concentration du lithium • Soyez fidèle aux prises de sang et examens d'urine prescrits pour surveiller la concentration de lithium dans le sang, le fonctionnement de vos reins et de votre thyroïde

* Le lithium est un sel dont la concentration augmente dans le sang en cas de déshydratation.

GROUPE 2: LES ANTIÉPILEPTIQUES

Après s'être aperçu qu'un antiépileptique, le Tegretol (carbamazépine), avait des effets stabilisateurs sur l'humeur, des essais cliniques ont été faits pour confirmer cette observation. Plusieurs autres antiépileptiques ont été étudiés par la suite pour le trouble bipolaire, soit l'Epival (acide valproïque), le Lamictal (lamotrigine), le Topamax (topiramate), le Neurontin (gabapentin). Ces médicaments agissent sur les neurones en modulant les influx nerveux électriques par lesquels les cellules communiquent entre elles. En fait, ces médicaments affectent les entrées et sorties de sodium et de calcium à travers les membranes des neurones, et ces ions (sodium et calcium) vont à leur tour entraîner le déclenchement de signaux électriques qui passent d'un neurone à l'autre. De cette façon, ils contrôlent les crises d'épilepsie, mais aussi les changements de phase (dépressive ou maniaque) des bipolaires, sans que les bipolaires soient épileptiques ou puissent le devenir en prenant ces médicaments.

Epival (acide valproïque)

L'Epival est un anticonvulsivant utilisé dans le traitement de l'épilepsie depuis des décennies. Il agit en bloquant des canaux sodiques et en augmentant les concentrations cérébrales de GABA. Il est utilisé dans le traitement de la maladie bipolaire depuis les années 1990. L'Epival est aussi efficace que le lithium pour traiter les épisodes de manie, mais considéré comme un peu moins efficace pour traiter la dépression bipolaire. Il demeure malgré tout un stabilisateur de l'humeur très utilisé dans le traitement du trouble bipolaire 1, avec notamment une plus grande efficacité que le lithium dans le contrôle des épisodes mixtes (symptômes de manie présents en même temps que des symptômes dépressifs, de l'agitation et souvent des idées suicidaires).

La dose d'Epival est ajustée à l'aide de dosages sanguins et selon la réponse clinique. C'est un médicament relativement bien toléré, mis à part le gain de poids et la sédation souvent présents. On doit surveiller le fonctionnement du foie comme tous les médicaments qui sont éliminés par celui-ci.

Acide valproïque (valproate)

Avantages/ particularités	Inconvénients/effets secondaires possibles	Conseils
• Efficace en monothérapie dans le traitement de la manie et dans le traitement aigu et à long terme du trouble bipolaire à cycles rapides avec phases mixtes et avec abus de substance • Le dosage sanguin peut aider à mesurer l'efficacité, les effets secondaires et l'adhérence au traitement	• Moins efficace pour le traitement des phases dépressives et leur prévention • Gains de poids fréquents • Tératogène pour le fœtus • Surveillance de la fonction hépatique et des plaquettes nécessaire deux fois par an par prise de sang • Sédation parfois problématique • Troubles de la coordination • Nausées/ vomissements • Douleur abdominale • Perte de cheveux • Tremblements • Perturbations du cycle menstruel	• Soyez fidèle au suivi sanguin • Surveillez votre poids et tour de taille • Si somnolence le jour, prenez au coucher • Si gain de poids, faites attention aux aliments riches en glucides et lipides et faites de l'exercice cardiovasculaire 30 min. ou plus, 3 à 4 fois/semaine • Si perte de cheveux, prenez des multivitamines avec sélénium et zinc 25 mg

Lamotrigine

Il agit sur les échanges de sodium qui envoient des signaux électriques et bloquent la libération de glutamate[12]. On peut l'utiliser comme médicament unique dans le trouble bipolaire 2, mais pas chez les bipolaires 1, car, s'il a de bons effets antidépresseurs, il n'est pas très efficace comme «antimanie». Il n'entraîne, en général, ni gain de poids ni problèmes sexuels. Cependant, on doit débuter sa prise lentement en raison d'un risque (rare) de réaction allergique sévère, le syndrome de Stevens-Johnson, un rash (urticaire) sévère, potentiellement mortelle avec malaises et fièvre. Parfois, des patients vont voir apparaître, surtout si la dose est augmentée rapidement, des petits boutons rouges sur la peau qui disparaissent après quelques jours. Pour éviter ce rash bénin qui peut être confondu avec le syndrome de Stevens-Johnson, le médecin va débuter le lamotrigine à petites doses et augmenter la médication chaque semaine ou toutes les deux semaines jusqu'à la dose habituelle utilisée dans le traitement du trouble bipolaire, soit de 100 à 200 mg par jour.

12 STAHL, SM., *Essential psychopharmacology. The prescribers's guide*, Cambridge University Press, 2005.

Lamotrigine (Lamictal)

Avantages/ particularités	Inconvénients/effets secondaires possibles	Conseils
• Efficace en mono-thérapie pour dépressions bipolaire 1 ou 2 et traitement à long terme des bipolaires 2 et bipolaires à cycles rapides • Peu ou pas de gain de poids • Peu ou pas de dysfonctions sexuelles • Peu de sédation • Dosage sanguin non nécessaire • Pourrait être un des stabilisateurs de l'humeur les mieux tolérés	• Moins efficace pour traiter la manie (TBP 1) • Rash allergique béninen début de traitement: 6 à 10 % • Rash sévère (rare) de 0 à 3 %. Peut être habituellement évité en débutant le lamotrigine à petites doses avec augmentation lente vers la dose thérapeutique • Céphalées • Nausées • Constipation • Étourdissements • Somnolence • Troubles de coordina-tion/de vision • Combinaison avec acide valproïque fait doubler la concentra-tion de lamotrigine et peut élever les risques de rash; combiné avec carba-mazepine, il diminue la concentration de lamotrigine	• Prenez habituelle-ment en une seule dose le matin • Si somnolence le jour, prenez le soir • Si de l'urticaire apparaît sur le corps ou le visage, et si elle s'accompagne de fièvre et malaises, contactez sans délai votre médecin et cessez le lamotrigine

Carbamazépine (Tegretol)

Avantages/ particularités	Inconvénients/effets secondaires possibles	Conseils
• Patients qui ne répondent pas bien au lithium peuvent répondre au Tegretol: bipolaires à cycles rapides, avec phases mixtes ou manies psychotiques	• Moins utilisé, car plusieurs effets secondaires et interactions médicamenteuses • Diminue l'efficacité des contraceptifs oraux et de nombreux autres médicaments • Sédation • Tératogène pour le fœtus • Nausées • Diarrhée/constipation • Étourdissements • Vision trouble • Troubles de la coordination/tremblements • Perturbation du cycle menstruel • Troubles de mémoire légers/confusion • Urticaire (*rash*) • Nécessite suivi sanguin pour surveillance d'éventuels problèmes sanguins et hépatiques et de baisse de sodium sanguin • Rares cas de baisse sévère des globules blancs (1/100 000)	• Soyez fidèle au suivi sanguin prescrit par votre médecin (c.-à-d. dosage de Tegretol, bilan hépatique, formule sanguine complète, ions) • Contactez immédiatement votre médecin si de l'urticaire (*rash*) apparaît • Utilisez un moyen contraceptif (femmes)

AUTRES ANTIÉPILEPTIQUES
Topiramate (Topamax)
Cet antiépileptique est aussi utilisé en prévention des migraines et pour faciliter le sevrage à l'alcool; les bipolaires sont plus souvent touchés par des problèmes de migraines et d'abus d'alcool que la population en général. Une étude a démontré son efficacité lorsqu'il est ajouté à un stabilisateur de l'humeur dans la dépression bipolaire.

Ce médicament a un effet secondaire intéressant, il fait perdre du poids en diminuant notamment l'appétit. Ses autres effets secondaires le rendent moins intéressant toutefois:
- Engourdissement des mains et des pieds;
- Changement du goût;
- Troubles attentionnels;
- Troubles de l'élocution;
- Vertiges;
- Calculs rénaux;
- Glaucome.

Oxcarbazepine (Trileptal)
Des données préliminaires, qui demandent confirmation, suggèrent que le Trileptal peut être ajouté à un stabilisateur de l'humeur en prévention des rechutes. Ce médicament ressemble à la carbamazepine (Tegretol), mais semble un peu mieux toléré sur le plan des effets secondaires.

Gapapentin (Neurontin)
Ce médicament est souvent utilisé pour soulager les douleurs neurologiques persistantes et également pour traiter certains troubles anxieux comme la phobie sociale (ou trouble d'anxiété sociale) sévère. Il est parfois ajouté aux stabilisateurs de l'humeur chez un bipolaire souffrant d'anxiété et/ou de

douleurs chroniques. Ses effets secondaires que sont la sédation, le gain de poids, les vertiges, l'œdème et les troubles attentionnels en limitent cependant son utilisation.

GROUPE 3: LES ANTIPSYCHOTIQUES

L'utilisation d'antipsychotiques dans le traitement du trouble bipolaire peut paraître étonnant, mais elle s'explique par plusieurs facteurs. D'une part, dans le trouble bipolaire 1, des symptômes psychotiques sont très fréquents lors d'un épisode maniaque survenant dans 50 % des cas.

De plus, les bipolaires en phase de manie démontrent de l'agitation et souvent de l'agressivité. Cependant, les antipsychotiques de première génération (Haldol, Largatil) sont généralement moins bien tolérés par les bipolaires et certains d'entre eux ont même été associés à l'apparition de dépression.

Les antipsychotiques de deuxième génération (dits atypiques) sont, de leur côté, moins susceptibles de provoquer des raideurs musculaires ou des mouvements involontaires, et plusieurs études soulignent leurs effets antidépresseurs et même anxiolytiques. Cette action sur l'anxiété est particulièrement intéressante chez les bipolaires, car plus de la moitié d'entre eux affichent des symptômes d'anxiété et même un trouble anxieux (trouble obsessionnel compulsif, phobie sociale ou trouble panique). De ce fait, plusieurs d'entre eux sont utilisés dans le traitement du trouble bipolaire non seulement lors d'un épisode de manie, mais aussi en phase dépressive et comme traitement à long terme pour prévenir les rechutes. De nouveaux antipsychotiques atypiques sont ou seront bientôt disponibles au Canada, et des études sur leur efficacité dans le trouble bipolaire et ses comorbidités devraient nous parvenir dans les prochaines années.

Quetiapine (Seroquel)

Avantages/ particularités	Inconvénients/effets secondaires possibles	Conseils
• Efficace en monothérapie pour traitements des troubles bipolaires 1 et 2 phase dépressive, maniaque et psychoses (dont schizophrénie), et en association dans le traitement à long terme du trouble bipolaire • Utilisé dans la dépression unipolaire réfractaire, troubles anxieux sévères, trouble de personnalité limite • Moins de dysfonctions sexuelles, de changements dans le cycle menstruel ou d'engorgement des seins que les autres antipsychotiques atypiques	• Sédation • Bouche sèche • Gain de poids • Constipation • Tachycardie • Hypotension • Peut augmenter les risques de diabète type II ou troubles lipidiques	• Si sédation, prenez la médication au coucher (nouvelle formulation à libération prolongée causerait moins de sédation diurne) • Si gain de poids, faites attention aux aliments riches en sucre et lipides et faites de l'exercice cardiovasculaire 3 à 4 fois/semaine • Soyez fidèle au suivi sanguin (c.-à-d. glycémie, bilan lipidique) • Surveillez votre tour de taille et votre poids

Olanzapine (Zyprexa)

Avantages/ particularités	Inconvénients/effets secondaires possibles	Conseils
• Efficace pour le traitement à long terme des troubles bipolaires 1 et 2 phases dépressive, maniaque, mixte et psychoses (dont la schizophrénie) • Utilisé dans la dépression unipolaire résistante aux antidépresseurs et troubles anxieux sévères	• Gain de poids important • Peut élever les risques de diabète type II et de troubles lipidiques • Sédation • Constipation • Bouche sèche • Symptômes neurologiques surtout à doses élevées (p. ex. bougeotte, raideurs, tremble-ments) • Suivi sanguin de glycémie, bilan lipidique et suivi de la circonférence de la taille • Le tabac abaisse le niveau sanguin d'olanzapine et nécessite une hausse de la dose d'olanzapine	• Informez votre médecin des antécédents familiaux de diabète et de troubles lipidiques • Faites attention à votre alimentation; peut élever votre goût pour les aliments sucrés • Faites de l'exercice cardiovasculaire, comme de la marche rapide 3 à 4 fois/ semaine pour diminuer le risque de gain de poids • Soyez fidèle au suivi sanguin prescrit • Surveillez votre poids et votre tour de taille • Si gain de poids, faites attention aux aliments riches en glucides et en lipides • Avisez votre médecin si vous arrêtez de fumer

Risperidone (Risperdal)

Avantages/ particularités	Inconvénients/effets secondaires possibles	Conseils
• Efficace dans le trouble bipolaire phase maniaque et les psychoses (dont la schizophrénie) et en association • Utilisé dans la dépression unipolaire réfractaire aux antidépresseurs et dans les troubles anxieux sévères • Le moins coûteux des antipsychotiques atypiques	• Gain de poids • Symptômes neurologiques (p. ex. raideur des membres, tremblements, bougeotte) reliés à la dose (à dose plus élevée) • Élève la prolactine sanguine (pourrait augmenter le risque d'ostéoporose) • Dysfonctions sexuelles • Engorgement des seins • Perturbation du cycle menstruel • Hypotension orthostatique • Tachycardie • Sédation • Nausées • Étourdissements • Peut augmenter les risques de diabète de type II et de troubles lipidiques	• Parlez à votre médecin si vous ressentez de la bougeotte qui vous incommode • Si gain de poids, faites attention aux aliments riches en glucides et en lipides, et faites de l'exercice cardio-vasculaire 30 min. 3 à 4 fois/semaine (p. ex. marche rapide, vélo stationnaire) • Prenez le soir si sédation • Soyez fidèle au suivi sanguin prescrit (c.-à-d. glycémie, bilan lipidique, prolactine) • Surveillez votre tour de taille et votre poids

AUTRES ANTIPSYCHOTIQUES ATYPIQUES
Clozapine

La clozapine a été le premier antipsychotique de la classe des neuroleptiques dits atypiques en raison du faible risque d'effets secondaires neurologiques, comme des raideurs ou des mouvements involontaires à court et à long terme (dyskinésie tardive). C'est un médicament particulièrement efficace lorsque les autres neuroleptiques ont échoué. Cependant, ses effets secondaires limitent son utilisation, surtout le risque qu'il pose d'entraîner une grave baisse des globules blancs qui défendent l'organisme contre les infections (agranulocytose). Ce risque est faible (0,5 à 2 % des cas) mais nécessite une surveillance de la formule sanguine (FSC) très fréquente, toutes les semaines pendant les 26 premières semaines, et toutes les 2 à 4 semaines par la suite. D'autres effets secondaires peuvent être incommodants: gain de poids marqué, risques de diabète et de perturbations du cholestérol, somnolence, incontinence urinaire et hypersalivation.

Ziprasidone (Geodon)

Approuvée au Canada depuis septembre 2007, la ziprasidone est indiquée dans le traitement de la schizophrénie et, aux États-Unis, dans le traitement du trouble bipolaire 1 en phase de manie ou en phase mixte. Elle a comme avantage de ne pas causer de gain de poids et peu de sédation. Elle peut causer des troubles du rythme cardiaque chez des personnes à risque (histoire personnelle ou familiale d'arythmie ou personne ayant fait un infarctus récent ou prenant un médicament qui élève l'intervalle QT à l'électrocardiogramme).

Paliperidone (Invega)

Santé Canada a approuvé en octobre 2007 la paliperidone pour le traitement de la schizophrénie. Ce médicament utilise une technologie conçue pour libérer ce produit de façon contrôlée sur une période de 24 heures. Des études sont en cours dans le traitement du trouble bipolaire.

Quétiapine XR (Seroquel XR)
Une nouvelle formulation de quétiapine à libération prolongée a récemment été approuvée au Canada pour le traitement de la schizophrénie. Cette molécule est prescrite une fois par jour au coucher et permet une augmentation plus rapide des doses. Les résultats d'études dans le cas de trouble bipolaire seront bientôt disponibles.

Aripiprazole (Abilify)
Non disponible actuellement au Canada. Indiqué dans le traitement de la schizophrénie, il est aussi indiqué dans le traitement de la manie. Les effets secondaires sont de l'insomnie, des étourdissements, de l'hypotension, des céphalées. Il cause peu de gain de poids et rarement de la sédation.

LES ANTIDÉPRESSEURS
L'utilisation d'antidépresseurs dans le trouble bipolaire demeure l'objet de controverse et doit se faire avec doigté. Elle est cependant souvent nécessaire. En effet, malgré son côté plus flamboyant et orageux, la manie est généralement assez facile à traiter de nos jours puisque nous disposons de plusieurs médicaments antimanies efficaces.

La dépression bipolaire est habituellement plus prolongée, plus fréquente et plus complexe à traiter. La plupart du temps, c'est en phase dépressive, en proie à une souffrance indicible accompagnée d'idées suicidaires, que les patients décident de consulter et acceptent de se faire traiter. Les antidépresseurs apparaissent alors comme un choix logique. Cependant, chez les bipolaires, un antidépresseur peut induire un

« virage », un passage de la phase dépressive à la phase maniaque ou mixte. On redoute ces virages, car ils s'accompagnent d'une accélération des cycles dépression-manie-dépression et d'une aggravation de la maladie bipolaire. Toutefois, des études ont rapporté que le taux de rechutes dépressives était beaucoup plus élevé chez les patients bipolaires qui avaient bien répondu aux antidépresseurs et les arrêtaient, soit 70 % comparé à 35 % de rechutes chez ceux qui continuaient l'antidépresseur, et ce, sans que le groupe qui continuait la médication (et prenait un stabilisateur de l'humeur) ne soit plus sujet aux virages en manie[13]. Enfin, plusieurs études ont montré des différences entre les antidépresseurs par rapport au risque d'induire un virage en manie. Ainsi, un risque beaucoup plus élevé de virage est associé aux antidépresseurs de première génération, soit les tricycliques et les inhibiteurs de la monoamine oxydase (IMAO). Ces derniers sont de toute manière moins employés de nos jours en raison de leurs nombreux effets secondaires. Parmi les antidépresseurs plus récents, le risque d'induction de manie semble moins élevé avec le bupropion et la sertraline, et un peu plus élevé avec la venlafaxine.

Par ailleurs, les antidépresseurs, malgré leur nom, traitent aussi l'anxiété et les troubles anxieux qui accompagnent souvent le trouble bipolaire et ils sont fréquemment considérés dans l'arsenal thérapeutique des bipolaires pour cette raison. Si un antidépresseur est employé dans le trouble bipolaire, un stabilisateur de l'humeur devrait avoir été proposé en premier, afin de diminuer les risques de virage en hypomanie ou manie.

La décision du médecin de recommander l'ajout d'un antidépresseur pour un patient bipolaire déjà sous

---

13 ALTSHULER, L.L. et collab., «Impact of antidepressant discontinuation after acute bipolar depression remission on rates of depressive relapse at 1-year follow-up», *Am J Psychiatry*, vol. 160, n° 7, juillet 2003, p. 1252-1262.

Classes	Marques	Avantages chez le bipolaire	Inconvénients/ effets secondaires possibles chez le bipolaire
ISRS			
Fluoxetine	Prozac	*Efficace dans les troubles anxieux et la dépression*	Troubles sexuels
Sertraline	Zoloft	Moins de risque de virage	Troubles sexuels
Paroxetine	Paxil		Troubles sexuels importants/gain de poids, sédation
Fluvoxamine	Luvo		Sédation, interaction médicamenteuse
Citalopram	Celexa	Bien toléré Peu d'interaction médicamenteuse	Peut causer de la fatigue le jour, après quelques mois
Es-citalopram	Cipralex	Possiblement plus efficace qu'autres ISRS	Peut causer de la fatigue le jour, après quelques mois; gain de poids et troubles sexuels possibles
IRSN			
Venlafaxine	Effexor	Hausse de l'énergie et de la concentration > 150 mg Efficace pour les troubles anxieux	Plus de risque de virage maniaque
Duloxétine	Cymbalta	Efficace pour la dépression et douleurs associées	
NASSA			
Mirtazapine	Remeron	Aide au sommeil réparateur Efficace pour la dépression et l'anxiété	Gain de poids très important, sédation le jour

Classes	Marques	Avantages chez le bipolaire	Inconvénients/ effets secondaires possibles chez le bipolaire
MNADA			
Bupropion	Wellbutrin	Moins de risque de virage Peu d'augmentation de poids Hausse de l'énergie et de la concentration Peu de problèmes sexuels	Peut élever l'anxiété chez le patient atteint de trouble panique, moins efficace dans les cas de stress post-traumatique
ATC			
Amitryptyline	Elavil		Difficile d'atteindre la dose efficace en raison des effets secondaires
	Tofranil	Efficace pour la dépression sévère	Sédation le jour, trouble de la mémoire, bouche sèche, gain de poids, problème cardiaque, toxicité en cas de surdosage, risque plus élevé de virage maniaque
Nortriptyline	Aventyl		
Désipramine	Norpramine Pertofrane		
IMAO			
Phénelzine	Nardil		Risque élevé de virage maniaque
Tranylcypromine	Parnate	Efficace pour la dépression résistante	Interactions dange-reuses avec d'autres médicaments et certains aliments (fromages vieillis, vins rouges, poissons fumés)
RIMA			
Moclobémide	Manerix	Peu ou pas de gain de poids Problèmes sexuels	Moins de risque d'interactions médica-menteuses qu'IMAO Doit se prendre 2 fois par jour

stabilisateur de l'humeur se prend, en définitive, au cas par cas, selon l'histoire du patient, la sévérité et la fréquence de ses dépressions et de ses manies, ainsi que sa réponse antérieure à différents traitements.

AUTRES MÉDICAMENTS POUR TRAITER LE TROUBLE BIPOLAIRE
Benzodiazepines

Le clonazepam (Rivotril) a démontré son efficacité et son innocuité (sécurité) dans le traitement de la manie, mais cette efficacité n'a pas été constatée pour le lorazepam (Ativan) ou pour les autres benzodiazépines. On les utilise parfois en traitement d'association pour l'anxiété et l'insomnie. Ils peuvent causer de la dépendance, rendant leur cessation difficile, et ils peuvent entraîner des troubles attentionnels et des problèmes de coordination qui seront aggravés par la consommation d'alcool[14].

MÉDICAMENTS À L'ÉTUDE

Plusieurs médicaments sont actuellement étudiés pour évaluer leur efficacité et leur innocuité dans le trouble bipolaire:
- Agomélatine (Valdoxan), un agoniste des récepteurs à la mélatonine et un antagoniste d'un des récepteurs de la sérotonine, le 5 HT2C, une combinaison permettant de normaliser le sommeil et de traiter la dépression et possiblement le trouble bipolaire.
- Pramipexole (Mirapex), un agoniste de la dopamine, utilisé pour la maladie de Parkinson.
- Riluzole, un antagoniste du glutamate.
- Scopolamine, un antagoniste des récepteurs muscariniques, utilisé pour le mal des transports.
- Nimodipine, un bloqueur des canaux calciques.

---

14 CURTIN, F., et P. SCHULZP, «Clonazepam and lorazepam in acute mania: a bayesian meta analysis», *J affective disorder*, vol. 78, 2004, p. 201-208.1

PRODUITS DITS « NATURELS »
Oméga-3

Les oméga-3 sont de plus en plus utilisés en psychiatrie pour le traitement de la dépression, seuls ou en association avec les antidépresseurs chez les unipolaires, ou avec les stabilisateurs de l'humeur chez les bipolaires. Une étude récente portant sur 85 bipolaires en dépression a montré que les oméga-3 étaient plus efficaces qu'un placebo pour atténuer les symptômes dépressifs[15]. La dose utilisée dans les études est habituellement de 1 g par jour de la partie acide eicosapentaenoïque (AEP) des oméga-3. On recommande de les prendre après le déjeuner, car ils peuvent causer de l'insomnie. On peut augmenter son apport d'oméga 3 en consommant deux à trois fois par semaine du poisson (anchois, sardine, saumon, maquereau, thon). Il est déconseillé d'augmenter sa consommation d'oméga-6 et 9 qui se trouvent déjà en quantité excessive dans la diète nord-américaine.

Millepertuis (St. John's wort)

Certaines études (surtout en Allemagne) ont démontré son efficacité dans la dépression unipolaire, alors que d'autres études n'ont pas établi cette efficacité. On ne dispose pas de données indiquant une efficacité dans le trouble bipolaire, mais comme les antidépresseurs, le millepertuis peut induire des virages hypomaniaques ou maniaques. De plus, le millepertuis est associé à plusieurs interactions médicamenteuses et ne devrait jamais être utilisé sans en avoir discuté au préalable avec son médecin et son pharmacien.

Sam-e

Le S-adenosyl methionine a été démontré son efficacité

---

15 FRANGOUS, S. et collab., «Efficacy of ethyleicosapentaenoïc acid in Bipolar depression», *Br J Psychiatry*, vol. 188, n° 46, 2006, p. 50.

dans certaines études sur la dépression unipolaire, mais pas dans le traitement du trouble bipolaire. Il peut induire des manies.

Vitamines

Une carence en certaines vitamines (B6, B12 ou acide folique) peut être responsable d'épisodes dépressifs. Une alimentation variée est suffisante pour obtenir la quantité de vitamines recommandée, et votre médecin peut mesurer ces concentrations en vitamines à l'aide d'une prise de sang si vous être déprimé et que vous vous alimentez plus ou moins bien. Une multivitamine ajoutée à votre traitement pourra alors être utile, mais une révision de votre alimentation est également nécessaire.

Autres

Plusieurs autres produits comme le ginkgo biloba et la mélatonine ont été étudiés en lien avec la dépression ou le trouble bipolaire, mais une efficacité antidépressive n'a pas été démontrée. Certains produits sont carrément dangereux, comme le kava kava, qui est efficace pour combattre l'anxiété, mais dont on a démontré qu'il pouvait causer des dommages au foie.

Il est déconseillé aux patients de faire des essais de traitement à l'aide de vitamines ou de produits naturels sans en discuter avec leur médecin. Une discussion sur les bénéfices et les risques potentiels de chaque produit est préférable. Méfiez-vous des produits «miracles» dont l'efficacité et l'innocuité n'ont pas été évaluées de façon rigoureuse.

TRAITEMENTS NON PHARMACOLOGIQUES
Luminothérapie

Les patients bipolaires en dépression ont souvent des symptômes similaires à ceux qui souffrent de dépression saisonnière, c'est-à-dire la somnolence, une fatigue très marquée, une tendance à manger plus et plus d'aliments sucrés (rages de sucre), un ralentissement des mouvements et des troubles attentionnels. Lorsque la baisse de luminosité se fait sentir à l'automne, en Amérique du Nord, le cerveau sécrète moins de certains neurotransmetteurs importants dans la régulation de l'humeur, comme la sérotonine. On peut contrecarrer cette baisse en exposant les personnes qui souffrent de dépression saisonnière à de la lumière blanche (pas les ultraviolets utilisés dans les salons de bronzage) durant 30 minutes par jour, le matin au réveil. La lumière utilisée dans les salons de bronzage n'a aucun effet sur les symptômes de la dépression saisonnière, car elle ne contient pas de lumière blanche et les ultraviolets sont réputés cancérigènes pour la peau.

Dans la maladie bipolaire, la luminothérapie peut être utilisée dans certains épisodes dépressifs survenant à l'automne ou durant l'hiver, à condition que la personne prenne aussi un stabilisateur de l'humeur. On exposera le patient moins longtemps (15 minutes par jour), car il y a un risque d'induire un virage hypomaniaque.

Sismothérapie

Approche mal aimée, s'il en est une. Elle est de nos jours appliquée de façon sécuritaire et demeure l'un des traitements les plus efficaces lorsque les autres approches ont échoué ou ne peuvent être utilisées, par exemple, chez des patients mélancoliques qui refusent de s'alimenter ou demeurent immobiles, comme pétrifiés des journées entières, ou encore, chez la femme enceinte sévèrement déprimée ou psychotique. Les patients qui reçoivent ce traitement sont sous anesthésie générale durant quelques minutes tout au plus. L'anesthésiste leur injecte d'abord un relaxant musculaire qui empêche des spasmes musculaires de se produire lors de l'application du courant électrique. Ce dernier est appliqué d'une à deux secondes par des électrodes stratégiquement disposées sur la tête. Le courant provoque une brève crise d'épilepsie. 80 % des patients voient leur dépression ou leur manie diminuer en quelques semaines après 6 à 12 électrochocs. Les effets secondaires, associés notamment aux anesthésies, sont des troubles de la mémoire récente, habituellement transitoires, mais sont moins importants avec l'application unilatérale des électrodes (sur un seul côté de la tête).

Stimulation magnétique transcrânienne

L'utilisation d'ondes magnétiques comme celles utilisées dans les examens radiologiques de résonance magnétique commence à être étudiée dans le traitement de la dépression. Cette procédure ne nécessite pas d'anesthésie ni de relaxants musculaires et induirait moins de troubles de mémoire que la sismothérapie. Elle serait toutefois moins efficace dans le traitement de la manie et pourrait même induire un virage maniaque chez des bipolaires déprimés. Certains centres de recherche et de traitement des troubles de l'humeur l'utilisent déjà et plusieurs études sont en cours.

Algorithme de traitement

Un groupe d'experts canadiens (réseau CANMAT) a révisé toute la littérature scientifique portant sur le trouble bipolaire en évaluant la qualité des études disponibles et a établi des lignes directrices pour le traitement des patients souffrant de troubles bipolaires. Ces lignes directrices ont récemment été mises à jour en tenant compte des nouvelles études publiées à l'échelle internationale. Des lignes directrices sont ainsi disponibles pour le traitement de la manie aiguë, de la dépression bipolaire et pour le traitement à long terme visant la prévention des rechutes. On peut consulter ces lignes directrices sur le site web de CANMAT: www.canmat.org

CHAPITRE 4

LES PSYCHOTHÉRAPIES ET LES TRAITEMENTS PSYCHOSOCIAUX DU TROUBLE BIPOLAIRE

L e trouble bipolaire est une maladie difficile à accepter et à contrôler, en raison surtout des phases dépressives plus longues et pénibles à traverser que les phases d'accélération maniaque.

Les patients et les soignants ont constaté que la médication, si elle est le fondement du traitement du trouble bipolaire, ne suffit pas à elle seule. Le bipolaire doit aussi recevoir une psychothérapie sous une forme ou une autre, et sa famille a, elle aussi, besoin d'information, de formation et de soutien.

Un éventail de psychothérapies

Plusieurs approches ont été créées et adaptées aux besoins spécifiques des bipolaires. Des études ont démontré, en évaluant leur utilité, l'efficacité de la thérapie individuelle cognitivo-comportementale, de la thérapie psychoéducative familiale, de la thérapie interpersonnelle et des rythmes sociaux, et de la thérapie de psychoéducation de groupe[16]. Ces interventions permettent notamment de réduire les

------

16 MIKLOWITZ, D.J. et collab., «Psychosocial treatments for bipolar depression. A 1 year randomized trial from the systematic treatment enhancement program», *Archives Gen Psychiatry*, vol. 64, 2007, p. 419-427.

hospitalisations, d'améliorer l'assiduité au traitement pharmacologique et de diminuer les crises familiales provoquées par la maladie.

PSYCHOÉDUCATION

La psychoéducation est une phase capitale dans le traitement du trouble bipolaire. En effet, le trouble bipolaire est une maladie chronique sujette à plusieurs récidives. Le patient et sa famille doivent connaître les différentes phases de la maladie, être capables d'identifier les signes avant-coureurs d'une rechute et suivre un plan préétabli pour faire face aux symptômes apparaissant alors. Ces mesures ont pour but de prévenir des épisodes aigus de manie ou de dépression ainsi que l'impact psychologique et social négatif de ceux-ci.

La psychoéducation peut être offerte sous deux formes, individuelle ou en groupe.

Une étude canadienne récente a montré que les bipolaires 1 vont plus facilement consulter, alors que les bipolaires 2 vont tenter de contrôler leurs symptômes d'hypomanie en cherchant des solutions à leurs problèmes sans toujours identifier les signes de rechute, en partie parce que l'hypomanie est moins facile à détecter qu'un épisode maniaque sévère. Toutefois, le fait de négliger de consulter pour atteindre un meilleur contrôle de la symptomatologie peut contribuer à l'aggravation du trouble bipolaire 2 avec le temps. Il est donc important d'offrir des programmes de psychoéducation bien structurés[17] à tous les bipolaires.

THÉRAPIE COGNITIVO-COMPORTEMENTALE

Cette approche consiste en des sessions d'environ 45 minutes

---

17 PARIKH, S.V. et collab., «Coping styles in prodromes of bipolar mania», *Bipolar Disorders*, vol. 9, n° 6, septembre 2007, p. 589-595.

à une heure. Le nombre de rencontres peut varier de 10 parfois jusqu'à 20 ou même 30.

Le psychologue et le bipolaire abordent les thèmes suivants:

1. L'explication de la maladie, de son évolution, de l'adhérence à la médication, des effets de la maladie sur les études et le travail, et de la gestion du stress.

2. La gestion des rythmes sociaux. Durant ces rencontres, on discute de la mise en place d'un horaire qui aide à diminuer l'inactivité, à intégrer l'exercice et une diète optimale aux habitudes de vie. Le psychologue explique l'effet antidépresseur de l'exercice et de la diète, et sa capacité à prévenir le gain de poids et à améliorer l'image de soi. Un horaire de sommeil régulier doit être mis en place malgré toutes les difficultés que cela pose pour un adolescent ou un jeune adulte qui est habitué à sortir et à se coucher tard. On doit identifier les personnes qui nous font du bien et s'éloigner progressivement des amis ou connaissances qui incitent à la consommation ou qui nous perturbent et nous stressent. Le psychologue doit donc conseiller sans juger, car ce qu'il conseille est difficile à mettre en application et demande du temps et des ajustements multiples. Par exemple, sur le plan financier, il est préférable de limiter l'utilisation des cartes de crédit (incluant celles de divers magasins) et de garder la marge de crédit la plus basse afin d'éviter les dépenses excessives en période de manie, éventuellement difficiles à rembourser et entraînant parfois des faillites personnelles.

3. La restructuration cognitive. Cette partie de la thérapie traite des pensées erronées que le bipolaire se répète sans arrêt en lui-même: «Je suis fini, ma carrière est à

l'eau, je ne pourrai jamais reprendre mes études. Qui voudra de moi avec tous ces médicaments?»

4. Entraînement à la résolution de problèmes
   - Doit-on dire qu'on est bipolaire, et à qui?
   - Apprendre à communiquer adéquatement avec nos proches. Régler les problèmes au fur et à mesure. Dire ce qu'on veut et ce qu'on ne veut pas.
   - Pouvoir parler en période de stabilité des problèmes fréquents survenant lors des épisodes (dépenses excessives, disputes à propos de l'arrêt des médicaments, abus d'alcool, de drogue, promiscuité sexuelle).

5. Stratégies pour identifier rapidement les signes de rechute
   - Surveiller les heures de sommeil.
   - Irritabilité grandissante.
   - Hyperémotivité.
   - Ralentissement de la démarche et de la parole ou, à l'opposé, incapacité à rester en place et débit verbal accéléré.

6. Interventions spécifiques, pour aborder les troubles psychiatriques possiblement associés, soit les troubles anxieux, la consommation d'alcool ou de drogue.

THÉRAPIE INTERPERSONNELLE ET DES RYTHMES SOCIAUX

Dans cette approche, trois facteurs favorisant la rechute sont identifiés: la non-assiduité aux traitements pharmacologiques, un événement interpersonnel significatif, ou le dérèglement des rythmes sociaux.

Ce type d'approche se concentre ainsi sur l'impact et le dérèglement des habitudes sociales et des cycles de veille – sommeil provoqué par les phases dépressives ou maniaques de la maladie. On évalue et discute ici des pertes relationnelles dues à des conflits, à des séparations, ou des pertes éventuelles d'emploi associées au trouble bipolaire. On évalue à l'aide d'instruments d'autoévaluation (voir journal de l'humeur en annexe) les activités quotidiennes ainsi que les heures de lever et de coucher.

Le thérapeute encourage le patient à adopter des rythmes sociaux réguliers (exercices, alimentation, socialisation, sommeil), à anticiper les événements qui peuvent venir perturber les rythmes sociaux et à mettre au point des plans et des stratégies pour maintenir la stabilité malgré les agents provocateurs de stress (stresseurs).

Quelques facteurs de stress d'ordre personnel
- Conflit avec les membres de la famille d'origine.
- Parents vieillissants qui ont besoin d'aide.
- Enfants avec difficultés.
- Participation à trop d'activités.
- Tensions conjugales parfois liées au trouble bipolaire (diminution de la libido en période dépressive ou secondaire aux médicaments, ou augmentation de la libido en phase maniaque, manque d'intérêt ou intérêts changeants et éparpillés laissant le conjoint confus ou déçu).

Quelques facteurs de stress d'ordre professionnel
- Stress lié aux échéanciers de rendement serrés.
- Conflits avec certains collègues ou supérieurs (parfois liés aux absences répétées dues à la maladie).
- Horaires irréguliers. Les bipolaires devraient éviter, dans la mesure du possible, de travailler sur des horaires variables et de nuit, car ces horaires entraînent plus de troubles du sommeil déstabilisants. De même, la planification à l'avance des périodes de vacances, qui préviennent l'accumulation de fatigue, peut limiter

le risque d'épuisement professionnel et d'une rechute qui y serait associée.

THÉRAPIE FAMILIALE

Cette approche débute par des rencontres de psychoéducation sur les symptômes, les causes, l'évolution, le traitement et la prise en charge de la maladie par le bipolaire. Les familles et les bipolaires sont encouragés à comprendre:

- ce qui a précipité l'épisode actuel;
- les facteurs de risques et ceux qui protègent le bipolaire des rechutes;
- la nécessité de poursuivre un traitement pharmacologique à long terme, malgré les effets secondaires;
- les inévitables remises en question du diagnostic par les bipolaires, soit lorsqu'ils sont en rechute et que leur jugement est perturbé, ou lorsqu'ils sont stables depuis plusieurs mois ou plusieurs années et pensent qu'ils n'ont plus besoin de médicaments.

Une discussion franche et ouverte axée sur le respect, la solidarité et le courage dont font preuve tous les membres de la famille, dont le bipolaire lui-même, aidera souvent à panser les blessures. Les épisodes de manie avec leur cortège de colère, de tristesse, de méfiance et de rêves temporairement brisés, les conséquences des comportements agressifs ou sexuellement désinhibés, les dépenses excessives, ou encore les tentatives de suicide, les rechutes et les interventions d'urgence ont, en effet, entraîné bien des séquelles.

Une autre étape des rencontres consiste à mettre au point un plan d'intervention faisant participer le patient, sa famille et l'équipe traitante[18]. Les symptômes de rechute pour

---

18 MIKLOWITZ, DJ., «*The bipolar disorder. Survival guide*», New York, The Guilford Press., 2002.

chaque personne sont, en général, les mêmes et leur identification peut empêcher la personne bipolaire de voir son état s'aggraver. Lorsqu'un bipolaire reconnaît les symptômes, il sait alors qu'il doit modifier certaines de ses habitudes, par exemple, se coucher plus tôt, cesser toute consommation d'alcool ou de caféine, éviter les heures supplémentaires au travail. Il sait aussi à quel moment contacter son médecin ou psychologue.

Un plan d'urgence est mis en place avec l'accord de la personne bipolaire. Elle accepte que les parents et parfois quelques collègues ou amis proches qui sont au courant de sa maladie puissent contacter le médecin en urgence, en cas de besoin.

Les proches sont mis au courant des ressources du système de santé qu'ils peuvent utiliser et à quel moment. Ils apprennent à déterminer les centres de crise, les ressources spécialisées dans le trouble bipolaire de leur région, l'urgence psychiatrique vers laquelle ils devraient se diriger avec leur proche bipolaire lorsque c'est nécessaire.

GROUPES DE SOUTIEN

Tant les bipolaires que leur famille ont besoin du soutien de personnes qui, comme eux, ont vécu ce qu'ils vivent et comprennent ce qu'ils traversent, leurs inquiétudes, leurs questions, leurs doutes, leurs colères et leurs espoirs.

On y apprend à comprendre les effets des conflits interpersonnels dans la vie de la personne bipolaire. On distingue les conflits qui existaient avant la maladie de ceux qui sont secondaires au trouble bipolaire. L'expérience des autres aide à cerner les sources de stress et les façons de les atténuer. On peut voir comment réagir à travers les expériences, les revers et les réussites d'autres personnes aux prises avec la maladie ou qui ont un proche qui en est atteint. Tout ceci peut apporter beaucoup d'espoir, aider à se déculpabiliser, permettre de ventiler et apprendre beaucoup de trucs et de façons de faire. Les groupes de soutien aident à reprendre un sentiment de contrôle sur sa vie.

TROUVEZ VOTRE RYTHME ET GARDEZ-LE...

- Ayez un horaire réaliste et incluez-y exercice et relaxation du lundi au dimanche.

6	LEVER
7	DÉJEUNER
8	MARCHE RAPIDE
9	TRAVAIL
10	
11	
12	DÎNER, MARCHE OU DÉTENTE
13	
14	
15	
16	
17	SOUPER
18	
19	DEVOIRS DES ENFANTS
20	
21	RELAXATION
22	
23	COUCHER

HYGIÈNE DU SOMMEIL

- Déterminez les aliments et boissons qui vous stimulent et peuvent nuire à votre sommeil (caféine, tabac, alcool).
- Sortez télévision et ordinateur de la chambre à coucher.
- Écoutez la musique qui vous détend et évitez celle qui vous stimule avant d'aller au lit.
- Évitez les coups de téléphone, les courriels ou les discussions sur le Web qui pourraient vous stimuler ou vous perturber avant l'heure du coucher.
- L'exercice (à part la relaxation) doit être terminé de deux à trois heures avant l'heure du coucher, car il stimule.

Trouble bipolaire et emploi

Il est important de réfléchir aux avantages et aux risques associés au dévoilement de votre diagnostic de bipolaire à votre employeur actuel ou futur.

AVANTAGES

- Vous pourriez bénéficier d'accommodements de votre tâche, comme un horaire flexible lorsque votre état le nécessite; l'évitement de temps supplémentaire ou d'horaire de nuit; la possibilité de travailler dans un environnement moins bruyant ou avec moins de distractions, si votre concentration en est diminuée, par exemple [19].
- Plusieurs employés considèrent que le fait de dissimuler leur état, la prise de médicaments et leurs éventuels effets secondaires, comme des tremblements, sont une source de stress.

---

19 TSE, S., «Practice guidelines: Therapeutic interventions aimed at assisting people with bipolar affective disorder achieve their vocational goals», *Work*, n° 19, 2002, p. 167-179.

- Le fait que vos collègues et supérieurs soient au courant de votre diagnostic peut leur permettre de vous soutenir et de vous aider lorsque des signes de rechutes sont présents ou lors du retour au travail après un épisode.

RISQUES ASSOCIÉS AU FAIT DE FAIRE CONNAÎTRE SON DIAGNOSTIC

- Les préjugés face à la maladie mentale sont encore répandus dans la société et certains milieux de travail.
- Des collègues et des supérieurs peuvent, par ignorance ou préjugé, vous percevoir comme moins performant, ce qui pourrait limiter vos chances de promotion, même si ces pratiques sont injustifiées ou illégales.
- L'énergie que vous auriez à déployer pour démontrer vos capacités ou à combattre des injustices liées à la divulgation de votre diagnostic peut affecter votre stabilité.
- Il est illégal de congédier un employé parce qu'il souffre d'une maladie physique ou mentale. Si vous décidez d'informer votre supérieur de votre diagnostic, faites-le par écrit et gardez-en une copie dûment datée.

NOUVEL EMPLOI

On doit soupeser le pour et le contre du dévoilement du diagnostic à un futur employeur, mais en raison des attitudes souvent négatives de la société en général et de plusieurs employeurs en particulier, il vaut souvent mieux ne pas parler de sa maladie dans un premier temps, et habituellement, pas lors des premières entrevues de sélection.

La société évolue lentement et l'épuisement professionnel et la dépression sont en voie de devenir les causes les plus fréquentes d'invalidité des employés, ce qui incite les entreprises à accepter l'existence de ces maladies, à vouloir soigner, et à conserver les compétences et l'expérience de ses travailleurs atteints de maladie mentale. Il deviendra sans doute plus facile dans les années à venir d'être accepté à sa juste valeur qu'on soit atteint ou non de maladie mentale, la société évoluant lentement mais sûrement.

CHAPITRE 5

LE TROUBLE BIPOLAIRE CHEZ L'ENFANT ET L'ADOLESCENT

S elon la majorité des études, la maladie bipolaire débuterait à l'adolescence. L'existence d'une maladie que l'on peut réellement diagnostiquer chez les enfants prépubères est objet de controverse. Certains enfants, dont les parents souffrent de trouble bipolaire, manifesteront des symptômes non spécifiques dans l'enfance comme de l'anxiété, de l'irritabilité et des troubles du sommeil[20].

Évaluation d'un enfant bipolaire

Lorsque des pédopsychiatres évaluent la possibilité qu'un enfant soit susceptible de débuter un trouble bipolaire, ils utilisent souvent les lignes directrices suivantes: les symptômes faisant penser à la manie (euphorie, grandiosité, irritabilité, excitabilité, désinhibition sexuelle, idées suicidaires, psychose)...

1. surviennent la plupart des jours de la semaine;
2. sont suffisamment intenses pour perturber l'environnement à l'école et à la maison;
3. surviennent de trois à quatre fois par jour;

20 DUFFY, A., «Does bipolar disorder exist in children?», *The Canadian journal of psychiatry*, vol. 52, n° 7, juillet 2007, p. 409-417.

4. durent plus de quatre heures par jour[21].

Il ne s'agit donc pas ici du comportement d'un enfant surexcité lors de son anniversaire, mais d'un comportement répétitif, perturbateur, survenant sans explication et inquiétant pour les parents et les enseignants.

Le médecin vérifiera également l'histoire médicale de l'enfant pour chercher d'autres raisons que le trouble bipolaire pour expliquer son comportement anormal:

- Y aurait-il eu un événement durant le développement de l'enfant depuis sa naissance qui ait pu provoquer son comportement actuel?
- Le jeune a-t-il subi un traumatisme crânien avec séquelles?
- Prend-il des médicaments qui l'excitent (comme certains médicaments pour l'asthme ou l'allergie)?

L'adolescent bipolaire

Il n'empêche que les symptômes cliniques répondant aux critères diagnostiques du trouble bipolaire tels qu'ils sont définis par la classification nord-américaine DSM (hypomanie ou manie alternant avec un ou des épisodes de dépression) ne sont habituellement pas présents avant 12 ou 13 ans.

L'étude de Kraepelin au début du siècle le démontre bien: sur 900 patients avec psychose maniacodépressive, les premières attaques surviennent le plus fréquemment dans la période de développement où l'excitabilité émotionnelle est accrue, soit entre la quinzième et la vingtième année[22].

---

21 KOWATCH, R. et collab., «Treatment bordelines for Children and Adolescent with Bipolar Disorder», *J Am Acad Child and adolescent psychiatry*, vol. 44, n° 3, mars 2005, p. 213-235.

Dans l'étude de Kraepelin, des symptômes maniacodépressifs survenant avant l'âge de 10 ans étaient rares, alors que l'étude longitudinale (où l'on regarde des patients évoluer pendant des années) de Angst souligne que le plus jeune âge de début du trouble bipolaire parmi toute sa cohorte de patients se situait à 13 ans.

Contrairement à ce que l'on rencontre chez l'enfant, le premier épisode de trouble bipolaire à l'adolescence est le plus souvent une dépression.

Pour savoir si un adolescent qui présente un épisode dépressif est en fait un bipolaire, les médecins se fient à certains facteurs prédisposants, comme:
- la présence de trouble bipolaire dans la parenté,
- des symptômes de psychose,
- un début rapide de la dépression et un ralentissement observable chez le jeune qui va parler et bouger plus lentement que d'habitude.

Mais le diagnostic ne sera confirmé que lorsque surviendra un épisode d'accélération hypomaniaque (parfois même causé par la prise d'un antidépresseur sans stabilisateur de l'humeur).

Il est important de savoir qu'une proportion d'environ 11 à 20 % de ceux qui, durant l'enfance, affichent un trouble déficitaire de l'attention avec hyperactivité vont présenter à l'adolescence un trouble bipolaire[23][24].

Enfin, il faut souligner que la prise de drogue à l'adolescence est plus fréquente qu'autrefois et pourrait être l'étincelle

22 KRAEPELIN, E. et al., *Manic-depressive insanity and paranoia*, Randallstown, John Gach Books, coll., «Lifetime Editions of Kraepelin in English», vol. 5, 2002, p. 167-168.

23 WOZNIAK, J. et J. BIEDERMAN., «Mania in children with PDD», *J Am Acad Child Adolescent, Psychiatry*, vol. 36 n° 12, novembre 1997, p. 1646-1647.

24 WOZNIAK, J. et collab., «A pilot family study of childhood-onset mania», *J Am Acad Child, and Adolescent Psychiatry*, vol. 34, n°12, 1995, p. 1577-1583.

qui mettra le feu aux poudres chez un jeune prédisposé à être atteint de trouble bipolaire. En somme, la consommation de drogue ne cause pas la maladie, elle en accélère l'apparition et peut en augmenter les symptômes. Par exemple, un jeune qui se sent tout à coup déprimé et qui voit sa déprime durer plus longtemps que d'habitude pourra se tourner vers une drogue stimulante comme la cocaïne, l'ecstasy, le crack ou autre et se retrouver rapidement en phase maniaque. Ces revirements brusques auront tendance à l'inciter à recommencer dès les premiers symptômes de la dépression, entraînant une avalanche de cycles épuisants qui vont favoriser une dépression plus profonde. L'automédication par les drogues est particulièrement dangereuse à ces âges où la pression des pairs favorise l'usage de substances, qu'il s'agisse d'alcool ou de drogue.

Sur le plan du traitement, il est certain que les stabilisateurs de l'humeur ont fait beaucoup moins l'objet d'études chez l'enfant prépubère et l'adolescent que chez l'adulte.

Le lithium demeure l'un des médicaments les plus étudiés dans ce groupe d'âge, mais lorsqu'un pédiatre ou un pédopsychiatre décide de débuter un traitement, il devra tenir compte de plusieurs facteurs:
- histoire familiale de réponse à un stabilisateur de l'humeur, plutôt qu'à un autre;
- prise de drogue ou d'alcool chez le jeune;
- présence ou non de symptômes psychotiques;
- idées suicidaires;
- présence d'un autre problème psychiatrique (trouble de déficit d'attention avec hyperactivité, trouble anxieux) ou médical;
- L'adolescence étant l'âge où l'impulsivité est la plus difficile à contrôler, la possibilité de suicide est une menace bien présente.

BIEN DES PROBLÈMES À GÉRER

Par ailleurs, la prise d'un médicament n'est qu'une partie du traitement et du suivi d'un jeune aux prises avec une maladie bipolaire et il doit participer activement au traitement avec l'aide de ses parents.

Comme il n'existe pas de facteurs connus, sauf l'hérédité, que l'on puisse observer avant l'arrivée du trouble bipolaire, bien souvent plusieurs facteurs comme les relations avec les parents, les groupes d'amis, le rendement scolaire, la consommation de substances, la délinquance et l'humeur ont eu le temps de se détériorer depuis un certain temps avant même le diagnostic. Si certains adolescents se sentent alors soulagés d'apprendre par le diagnostic le pourquoi d'une grande partie de leur comportement, d'autres éprouvent de la difficulté à accepter le fait d'être bipolaire, de devoir être médicamentés et d'avoir à surveiller leur consommation d'alcool.

Le traitement non pharmacologique chez les adolescents consiste à appliquer une série de mesures souvent difficiles à accepter comme:

• **la gestion du stress**

Bien des adultes ont tendance à idéaliser le bon vieux temps. Ils ont vite oublié tous les stress qu'ils ont vécus durant leur adolescence: bien performer à l'école, chercher l'âme sœur, la découverte de la sexualité, la peur du rejet, le défi de l'autorité. Apprendre à gérer son stress, à déterminer les différents facteurs qui causent le stress, à refuser certaines activités génératrices de stress, à méditer et à se relaxer sont particulièrement difficiles à cet âge. Selon les tempéraments, il faut choisir des modes de gestion du stress compatibles avec les intérêts du jeune. Pour certains, la pratique d'un sport ou une simple augmentation de l'activité physique correspondra à leur façon de gérer le stress. D'autres seront mieux servis par des pratiques spirituelles comme le yoga ou la méditation. Pour certains, les sports de groupe serviront d'exutoire à leur stress. D'autres préféreront les activités valorisant la performance individuelle.

• l'hygiène du sommeil
Nous l'avons vu, l'un des facteurs susceptibles de provoquer une phase manie ou une phase dépressive est un manque de sommeil. À l'âge où les horaires d'études et des sorties se terminent souvent tard la nuit, faire comprendre l'importance d'une saine gestion du sommeil, des bienfaits d'un horaire régulier et des problèmes que peut apporter une nuit blanche relève de la haute stratégie.

• la nutrition et les habitudes de vie
Éviter la caféine, les colas, l'alcool, la drogue, faire de l'exercice est un programme parfois difficile à réaliser mais combien important chez l'adolescent bipolaire.

• les groupes de soutien
Il peut s'agir d'une option fort intéressante pour plusieurs. L'esprit de groupe et la force de l'équipe trouvent habituellement un bon écho chez les jeunes.

• les interventions scolaires individualisées
Il s'agit d'un aspect particulièrement important à considérer. Un adolescent qui devient déprimé parce que ses résultats scolaires ne répondent pas aux exigences est en danger s'il souffre de trouble bipolaire. De par sa maladie, il peut se sentir différent du groupe. Si, en

plus, il ne réussit pas dans ses études, le découragement pourra être très profond. Il faut trouver tous les moyens pour l'aider dans ses études tant pour les bienfaits présents de l'intervention (reprise de la confiance en soi, augmentation de l'estime personnelle) que pour son avenir.

• **la psychothérapie individuelle ou familiale**
Comme nous l'avons vu, la psychothérapie a pour but d'aider la personne dans divers problèmes psychologiques conséquents au trouble bipolaire. On trouve parmi ceux-ci de l'anxiété, des problèmes d'image de soi, d'estime personnelle, de relations interpersonnelles. L'adolescent n'en est pas à l'abri, bien au contraire. L'appui d'une psychothérapie individuelle n'est donc pas à négliger. De plus, souvent, une dynamique familiale s'est instaurée de façon insidieuse durant les années qui ont précédé le diagnostic. Ainsi, un adolescent bipolaire qui s'était mis à la consommation de drogue a pu mentir pour justifier ses besoins d'argent. Un climat de méfiance s'est installé et les relations entre les parents et l'enfant se sont envenimées. Le trouble bipolaire n'est pas une excuse à ses comportements, mais lorsque l'ado accepte le traitement et met toute son énergie à se rétablir, il n'est pas le seul à devoir changer. La dynamique établie entre ses parents et lui doit aussi se modifier. C'est pour cela que, dans bien des cas, une thérapie familiale se révèle nécessaire.

• **le journal de l'humeur**
Adopter une nouvelle discipline de vie n'est jamais chose aisée. Des rituels précis en facilitent le passage. Plusieurs adolescents tiennent un journal intime.

Pourquoi ne pas le compléter avec un journal de l'humeur? Le jeune sera ainsi en mesure de comparer son vécu actuel avec ce qu'il était et de s'encourager à persévérer. Il s'agit du même journal de l'humeur utilisé par toute personne souffrant de trouble bipolaire et dont nous vous fournissons une copie en annexe 1.

L'enfance et l'adolescence sont des âges où d'importants acquis auront une grande influence sur le reste de la vie de l'individu. Bien des adultes bipolaires ou non auront une vie difficile à cause des déficits accumulés dans leur enfance. Une scolarisation insuffisante limite beaucoup le potentiel de réalisation future. Que penser du jeune qui a consommé des drogues pour tenter sans succès de guérir des états d'âme qu'il ne comprenait pas et qui se retrouve à l'aube de ses 18 ans avec un dossier judiciaire, en rupture avec sa famille . Son avenir est sérieusement compromis. Même si la médecine détecte alors la présence d'un trouble bipolaire et que le jeune adulte décide d'adhérer aux traitements, la pente psychologique, familiale, sociale et économique qu'il devra remonter est bien plus raide que pour le reste de la population.

À ne pas oublier

Un adolescent qui jusqu'alors se développait normalement, allait à l'école, faisait du sport ou de la musique, communiquait par ordinateur avec ses amis, devient tout à coup sombre, renfermé, isolé, ne participant plus à la vie de famille: pour les parents qui ont un lien affectif solide, voir ce lien se rompre est un choc terrible. Ils pensent tout naturellement que leur adolescent s'est mis à consommer, et c'est parfois le cas, ils se demandent quand et comment le confronter pour le questionner sur une éventuelle prise de drogue. Puis, ils commencent à craindre de perdre leur jeune, qu'il se suicide. C'est souvent à ce moment-là qu'ils vont tenter d'emmener leur adolescent consulter un médecin ou un pédopsychiatre.

LE PARCOURS DU COMBATTANT
Commence alors, à la fois pour un jeune bipolaire et pour sa famille, un difficile parcours du combattant. La maladie interrompra souvent le cycle normal des études en raison d'hospitalisations et/ou des symptômes tels que les troubles de concentration, les troubles du sommeil qui entraînent de la fatigue, la perte de confiance en soi et de motivation ou encore, des projets mégalomanes qui n'ont rien à voir avec l'école et sa nécessaire routine.

Les parents, eux, doivent réapprendre un nouveau mode de communication avec leur enfant que la manie, la psychose ou la dépression ont transformé en un être qui ne leur fait plus confiance et qu'ils ne reconnaissent pas. Ils doivent composer avec une inquiétude constante, l'apprentissage des diagnostics et du système de soins, la peur du suicide, la colère, la culpabilité inévitable: «Qu'est-ce que j'ai pu faire pour qu'il ou elle en arrive là?» Ils doivent mettre de côté temporairement leurs propres rêves et leurs attentes par rapport à cet enfant. Ils doivent continuer à travailler, à s'occuper de leurs autres enfants, à vivre leur vie de couple. Ceci peut devenir très difficile avec un enfant malade.

TROUVER L'ÉQUILIBRE
Les parents doivent trouver un juste équilibre entre compréhension, compassion, respect de la révolte naturelle de leur enfant face à la maladie et la nécessité de l'encourager à se faire soigner et à faire confiance à une équipe traitante qui lui parle de réalités diagnostiques et thérapeutiques qu'il ne veut, dans un premier temps, pas entendre.

L'adolescent bipolaire et sa famille doivent donc déployer toutes leurs capacités d'adaptation et de résilience pour traverser cette épreuve, et doivent faire preuve d'un immense courage qui est heureusement porteur de sagesse et de dignité humaines.

Alcool

L'abus d'alcool est très fréquemment associé au trouble bipolaire. L'alcool est un dépresseur du système nerveux, il peut diminuer temporairement l'anxiété et est souvent utilisé pour cette raison par les bipolaires en dépression ou en période d'emballement. Cependant, plusieurs effets très négatifs de l'alcool sur le cerveau risquent d'aggraver la maladie bipolaire. En effet, l'alcool peut favoriser l'endormissement lorsqu'il est consommé en soirée, mais il entraîne immanquablement des réveils durant la nuit, et ce sommeil entrecoupé n'est absolument pas réparateur. Même une à deux consommations peuvent entraîner une fatigue et des difficultés à se concentrer le lendemain. Par ailleurs, l'alcool diminue la capacité à se contrôler et entraîne une désinhibition du comportement. Une personne qui a consommé de l'alcool est moins gênée, rit plus fort, peut faire des avances inappropriées à une autre personne, et un bipolaire en phase de manie ou d'hypomanie qui présente déjà ces comportements désinhibés aggravera son état en consommant de l'alcool.

Marijuana, pot, THC, cannabis

La marijuana est considérée, à tort, comme une drogue récréative inoffensive. Au Canada, la culture hydroponique de la marijuana a entraîné un accroissement très important de la concentration en tétrahydrocannabinol (THC) présente dans la plante sous forme de pot ou de hachisch. Le pot des années 70 n'a rien à voir avec celui disponible actuellement, et celui-ci crée des ravages au cerveau. Des concentrations élevées de THC (de 10 à 15 % sont considérées comme étant des concentrations élevées) entraînent de la dépendance physique et psychologique et un syndrome amotivationnel dans lequel plus rien n'est une source de motivation. De telles concentrations sont susceptibles de causer des psychoses. Le lien entre le pot et le développement de psychose avait été suggéré dès 1997, et il est maintenant confirmé. Ainsi, une personne consommant de la marijuana, fumée ou ingérée par la bouche, peut souffrir d'hallucinations, de paranoïa et d'agressivité pouvant nécessiter une hospitalisation.

Des volontaires traités avec des comprimés de THC, dans le cadre d'une étude sur les effets thérapeutiques du THC sur la douleur, ont présenté de l'anxiété et des symptômes de psychose.

On pense que la marijuana peut induire une psychose brève qui disparaît après quelques jours, mais elle est également capable de déclencher un premier épisode psychotique chez une personne vulnérable génétiquement à la schizophrénie ou au trouble bipolaire.

Amphétamines, LSD, cocaïne, MDMA (ecstasy), psilocybine (champignons magiques)

Toutes ces drogues peuvent provoquer des hallucinations visuelles ou auditives, de la paranoïa et des épisodes psychotiques, parfois dès la première utilisation. De plus, des études ont démontré un lien entre la prise de cocaïne (parfois une seule prise suffit) et le développement de la maladie de Parkinson chez des jeunes dans la vingtaine, alors que cette maladie débute généralement à un âge beaucoup plus avancé. La cocaïne s'attaque aux cellules nerveuses d'une région du cerveau appelée *substantia nigra*, d'où partent les neurones qui fabriquent et transportent la dopamine, un neurotransmetteur impliqué dans les mouvements, l'humeur et le plaisir. Une destruction de cette zone cérébrale est à l'origine de la maladie de Parkinson, et les études suggèrent également que les femmes enceintes qui consomment de la cocaïne pourraient induire chez leur enfant un risque accru de maladie de Parkinson.

En définitive, les bipolaires, qu'ils aient ou non jamais eu d'épisodes de psychose, devraient s'abstenir de consommer quelque drogue que ce soit, car outre la psychose, il est clair que la prise de drogue peut déclencher un épisode de manie ou de dépression ou rendre la maladie plus résistante au traitement.

CHAPITRE 6

LES COMORBIDITÉS

L a maladie bipolaire touche bien des aspects de la personne qui en souffre. Les successions des phases de manie et de dépression ont des répercussions sur les dispositions biologiques, psychologiques, sociales et même financières de l'individu. Ces effets sont propres à générer de l'anxiété et du stress. En phase de manie ou d'hypomanie selon que la personne souffre du type 1 ou 2, alors que le sentiment de puissance l'habite, des gestes peuvent être commis qui auront des conséquences sur le reste du déroulement de la vie. Une personne peut alors élaborer des dizaines de projets, s'endetter ou faire des démarches auprès de diverses autorités qui porteront à conséquence. La même chose peut se produire durant une phase dépressive: abandonner des projets qui fonctionnaient, ne pas s'occuper de ses affaires financières ou refuser de faire des démarches en vue de trouver une solution. Il n'est pas toujours facile de distinguer ce qui est la cause d'une situation et ses effets. Une anxiété peut provoquer un passage à une phase manie ou dépressive tout comme elle peut être le résultat d'une période de manie ou de dépression. Plusieurs troubles psychologiques ou comportementaux gravitent ainsi autour de la personne atteinte du trouble bipolaire. Ces maladies satellites que l'on appelle en termes médicaux des facteurs de comorbidité comprennent les troubles anxieux comme le trouble d'anxiété généralisée (TAG), les troubles d'anxiété sociale (TAS), aussi appelés phobie sociale, le trouble panique (TP), le trouble obsessionnel compulsif (TOC) et le stress post-traumatique (SPT). Se joignent à cette liste le trouble de déficit de l'attention avec hyperactivité (TDAH), l'alcoolisme et d'autres toxicomanies.

Trouble anxieux	Fréquence de comorbidité dans le trouble bipolaire (%[25])
TAG (trouble d'anxiété généralisée)	13 %
TAS (trouble d'anxiété sociale)	13 %
TP (trouble panique)	8 %
TOC (trouble obsessif compulsif)	7 %
SPT (stress post-traumatique)	5 %

Les troubles anxieux peuvent débuter à l'adolescence et apparaître avant les premiers signes de trouble bipolaire chez un jeune. Ainsi, lorsqu'un adolescent montre des attaques de panique, le médecin et les parents devraient être à l'écoute sans s'inquiéter outre mesure. Cela peut être le prélude à l'apparition d'un premier épisode bipolaire ou plus rarement, de schizophrénie, qui peut apparaître quelques mois ou quelques années plus tard. Tous les anxieux ne sont évidemment pas de

25 SIMON, B.D. et collab., «Pharmacotherapy for bipolar disorder and comorbid conditions. baseline data from STEP-BD», *J.Clin Psychopharmacol*, vol. 24, n° 5, octobre 2004, p. 512-520.

futurs bipolaires. L'adolescence est un âge particulièrement propice à l'apparition d'anxiété. Un adolescent peut être anxieux parce qu'il vit une transition scolaire (début du secondaire ou du collégial), parce que ses parents vivent des difficultés conjugales ou tout simplement parce que son corps se transforme. Il peut être anxieux parce qu'il consomme de la drogue ou qu'un des parents est lui-même un anxieux qui lui a transmis ses gênes et ses attitudes d'anxieux. Ainsi, un parent qui a très peur des microbes et qui incite ses enfants à se laver les mains plusieurs fois par jour et à désinfecter toutes les surfaces de la maison peut inciter l'un de ses enfants à devenir préoccupé des microbes et à répéter ces mêmes comportements.

L'histoire familiale est utile pour orienter le diagnostic de l'adolescent: y a-t-il un des parents qui souffre d'un problème d'anxiété traité ou non? Y a-t-il d'autres membres de la parenté qui présentent un problème de santé mentale (un oncle, une tante, des grands-parents, des cousins)?

Les textes apparaissant dans cet encadré sont extraits du livre: *Stress et Anxiété, votre guide de survie*[26].

TROUBLE D'ANXIÉTÉ GÉNÉRALISÉE (TAG)

Longtemps, le diagnostic du trouble d'anxiété généralisée (TAG) s'effectuait plus ou moins par un processus d'élimination. Pour expliquer les hauts taux d'anxiété manifestés par la personne, le thérapeute pouvait diagnostiquer un TAG une fois toutes les possibilités éliminées (PS, TOC, etc.). Cette conception est retenue depuis 1980 seulement. Avant cette date, on parlait surtout d'anxiété flottante

---

26 BÉLANGER, C., et J. BEAULIEU, *Stress et Anxiété, votre guide de survie*, Montréal, Édition La Semaine, 2008.

ou envahissante. Les critères diagnostiques se sont raffinés et, selon le manuel diagnostique révisé des désordres mentaux (DSM-IV-R), pour être diagnostiqué comme souffrant d'un TAG, le patient doit afficher trois des six symptômes suivants:

- Agitation ou sensation d'être survolté (à bout de nerfs).
- Fatigabilité.
- Difficulté de concentration ou trous de mémoire.
- Irritabilité.
- Tension musculaire.
- Perturbation du sommeil[27].

Pour souffrir de TAG, vous devez non seulement manifester certains de ces symptômes, mais vous devez en outre ressentir une inquiétude excessive et difficile à contrôler. Vous remarquerez dans vos préoccupations une intolérance marquée pour tout ce qui est incertain. Cette intolérance à l'incertitude est beaucoup plus importante que ce que l'on retrouve chez la majorité des gens. Elle se manifeste dans des domaines où il n'y aurait pas lieu de s'inquiéter: inquiétudes par rapport à la santé d'un proche pourtant en santé, ou par rapport à la perte de son emploi alors que rien ne permet de l'envisager raisonnablement. Cette difficulté à tolérer ce qui est incertain constitue un marqueur du trouble d'anxiété généralisée.

Les notions de durée et de niveau de perturbation interviennent aussi dans le diagnostic du TAG. La fréquence requise est que la personne en souffre plus d'une journée sur

27 LADOUCEUR, R., A. MARCHAND et J.-M. BOISVERT, *Les troubles anxieux. Approche cognitive et comportementale*, Montréal, Gaëtan Morin Éditeur, Paris, Masson, 1999, p. 32.

deux depuis au moins six mois. Bien des personnes souffrant du TAG ne consultent pas et pensent que c'est une partie intégrante de leur personnalité. Si vous vous reconnaissez dans les symptômes décrits plus haut, une consultation pourrait être requise. Les traitements pour les troubles d'anxiété généralisée sont efficaces et sont susceptibles de régler ce problème.

LES FAUSSES CROYANCES FACE AUX INQUIÉTUDES

Il est parfois difficile d'intervenir directement sur l'intolérance à l'incertitude qui souvent détermine la tendance à s'inquiéter pour tout et pour rien. Les idées que nous entretenons sur les inquiétudes relèvent davantage de fausses croyances. Par exemple, on peut croire que le fait de s'inquiéter nous aide à trouver des solutions, nous protège contre les impondérables.

Il est nécessaire de cerner et de mettre en question ses croyances sur ses inquiétudes pour vérifier leur bien-fondé et, éventuellement, les corriger. Rejeter les idées reçues sur l'inquiétude favorisera sa diminution.

Il existe divers types de croyances que l'on peut entretenir face aux inquiétudes:

a) **La résolution de problèmes.** Il s'agit de toutes les croyances voulant que le fait de s'inquiéter aide à régler les problèmes, permet de trouver de meilleures solutions, d'être plus vigilant, mieux préparé, de réagir de façon plus réfléchie, plus efficace, et même de prévoir les problèmes et de les éviter.

b) **Les conséquences émotionnelles.** Toutes les croyances à l'effet qu'en s'inquiétant, on peut se protéger soi-même contre des émotions négatives, que le fait de s'inquiéter à l'avance pour quelque chose va nous protéger contre la déception, la tristesse, la culpabilité.

c) **Le pouvoir des pensées.** Croire que le simple fait de s'inquiéter de quelque chose peut avoir un effet sur les événements, que nos inquiétudes ont un pouvoir sur l'apparition ou non d'événements négatifs ou positifs.

d) **L'origine des inquiétudes.** Les croyances voulant que les inquiétudes font partie de notre personnalité, que c'est un trait de caractère avec lequel on doit vivre, «qu'on est fait comme ça» et que ça ne changera jamais.

LE TROUBLE PANIQUE (TP)

Le trouble panique peut se rencontrer accompagné ou non d'agoraphobie. Nous avons vu que le TP est caractérisé par l'apparition d'attaques de panique accompagnées de la crainte persistante que ces attaques se répètent. La personne qui souffre de trouble panique peut aussi craindre que ces attaques aient des répercussions graves sur sa santé: perdre conscience, avoir un arrêt cardiaque, s'étouffer, être incapable de respirer, etc. Le diagnostic des troubles de panique doit se faire par élimination des autres causes possibles. Car ces attaques de panique peuvent être consécutives à des problèmes médicaux ou psychologiques. Nous avons déjà souligné qu'une personne qui subit effectivement une crise cardiaque va ressentir des symptômes semblables. Certaines maladies d'ordre physique (l'hyperthyroïdie, par exemple) peuvent aussi provoquer une symptomatologie semblable. Sur le plan psychologique, d'autres types de problèmes anxieux peuvent aussi provoquer des attaques de panique. Elles peuvent également survenir à la suite de la consommation de certaines substances. Bien des utilisateurs d'hallucinogènes (comme le LSD) ont connu l'expérience malheureuse de ce qui est communément nommé un «bad trip». Les alcooliques peuvent aussi être victimes d'hallucinations susceptibles de provoquer de la panique. On ne pose pas un diagnostic de TP si la cause de la phobie est la consommation de drogues ou d'alcool. Certaines dépressions peuvent aussi provoquer de la panique. Il est important de vérifier si la personne n'est pas déprimée avant de conclure à un trouble panique. En revanche, il peut arriver qu'une dépression soit une conséquence du trouble panique. Une personne souffrant de TP peut voir son estime personnelle diminuée, ses capacités sociales perturbées, etc. Les troubles paniques, avec ou sans agoraphobie, ne sont pas si simples à diagnostiquer. L'aide d'un thérapeute (médecin ou psychologue) est toujours requise.

LES TROUBLES OBSESSIONNELS COMPULSIFS (TOC)

Selon le DSM-IV-R (manuel diagnostique révisé des désordres mentaux), on constate un trouble obsessionnel compulsif lorsque les obsessions et les compulsions occupent plus d'une heure par jour de la vie d'un individu. En outre, la personne atteinte d'un trouble obsessif compulsif doit se rendre compte que ses obsessions sont irrationnelles. Cette prise de conscience de l'individu face à la nature irraisonnée de ses obsessions n'est pas aussi évidente qu'il y paraît à première vue. Il peut arriver à tous d'éprouver un doute. La plupart des gens se demandent un jour ou l'autre s'ils ont bien verrouillé la porte en sortant, sans souffrir d'un trouble obsessionnel compulsif pour autant. D'autre part, la personne qui souffre d'une phobie des infections, par exemple, peut croire que ses craintes sont tout à fait raisonnables, surtout si les médias lancent des mises en garde contre une éventuelle épidémie de grippe. Pour établir son diagnostic, le thérapeute doit donc évaluer la rationalité des craintes en tenant compte de ce contexte: est-ce que dans un contexte où l'inquiétude de la population ne serait pas alimentée par les médias, notre individu présenterait les mêmes symptômes d'anxiété? Par ailleurs, l'élément handicapant du trouble obsessionnel compulsif constitue un élément du diagnostic. Si mes obsessions et mes compulsions dérangent ma vie en me faisant perdre un temps appréciable en vérification et en contre-vérifications, ou si ce comportement me fait ressentir une grande détresse, il faut alors trouver une solution et consulter.

LE TROUBLE D'ANXIÉTÉ SOCIALE (TAS)

La plupart des gens vont éprouver une certaine crainte s'ils se voient forcés de prendre la parole en public. La peur du ridicule est un frein social qui, somme toute, empêche que tous et chacun se mettent à débiter des âneries en public. Par contre, si la seule idée de parler à un inconnu provoque la panique, il devient important de consulter. En somme, comme le stipule le DSM-IV-R, quand l'anxiété anticipatrice ou la détresse ressentie dans les situations sociales communes sont intenses et entraînent l'évitement de plusieurs de ces situations, le diagnostic du trouble d'anxiété sociale s'impose. Comme on l'a vu plus haut, l'évitement consiste à tout mettre en œuvre pour éviter une situation, et l'anxiété anticipatrice est une crainte qui survient à l'idée d'accomplir une action. La personne atteinte du trouble d'anxiété sociale doit être en mesure de réaliser que ses peurs sont irrationnelles.

LES TROUBLES DU STRESS POST-TRAUMATIQUE (TSPT)

Pour obtenir un diagnostic de trouble du stress post-traumatique, longtemps on a présumé que la victime avait été obligatoirement témoin d'un événement extraordinaire. Il est indéniable que d'être témoin de l'effondrement des tours du World Trade Center a pu provoquer chez certaines personnes un trouble de stress post-traumatique. Il est possible que ce témoin revive le stress qu'il a connu le 11 septembre 2001 chaque fois qu'il entendra, par exemple, un avion survoler sa maison.

Ce concept du «hors du commun» n'est plus le même de nos jours. Selon le DSM-IV-R, «l'exposition à un événement traumatique (critère A) peut être définie par deux principaux éléments:

(A1) la personne a vécu, a été témoin de, ou a été confrontée à un ou plusieurs événements durant lesquels des gens ont pu mourir, être gravement blessés ou être menacés de mort, ou bien durant lesquels l'intégrité physique de l'individu ou celle d'autrui a pu être menacée;

(A2) l'exposition à l'événement a provoqué chez l'individu une réaction émotionnelle caractérisée par de la peur intense, de l'impuissance ou de l'horreur[28].»

La liste des symptômes ne s'arrête pas ici. Tous les individus vivant un grand stress ne souffriront pas nécessairement de

---

28 LADOUCEUR, R., A. MARCHAND et J.-M. BOISVERT, *Op.cit.*, p. 152.

trouble de stress post-traumatique. Il existe probablement des rescapés du World Trade Center qui n'en souffrent pas. Trois autres composantes sont donc nécessaires au diagnostic de ce trouble. La première consiste à revivre l'expérience en présence d'un événement qui la rappelle, soit dans des cauchemars, des «flash-back». L'autre handicap consiste à éviter des lieux qui rappellent, même de très loin, ceux du stress. Dans le cas d'un survivant du WTC, cela pourrait être d'éviter les tours de bureaux. Finalement, des symptômes qui, lorsqu'ils surviennent de façon persistante, sont fort dérangeants: insomnie, irritabilité, problèmes de concentration, réactions de sursaut et fébrilité élevée. De plus, toujours selon le DSM-IV-R, ces perturbations doivent durer depuis plus d'un mois et entraîner un degré de souffrance significatif, ou encore, des perturbations notables dans le comportement social. Le TSPT peut être aigu quand les symptômes durent moins de trois mois; il est chronique si ces symptômes durent plus de trois mois. Nous pouvons aussi être en présence d'un TSPT différé si les symptômes ont commencé à se manifester au moins six mois après le ou les événements traumatisants.

L'automédication

Lorsqu'une personne, adolescente ou non, éprouve des problèmes d'anxiété, de fébrilité, d'insomnie, de phobie sociale ou autre, elle ne consulte pas nécessairement tout de suite. Elle constatera qu'en prenant un verre d'alcool, en fumant une cigarette, un joint de marijuana ou tout autre substance, son anxiété diminue, du moins pour un temps. Lorsque l'anxiété revient, la personne sera tentée d'utiliser le même moyen pour se soulager. Avec le temps s'établit d'une part une certaine résistance physiologique à la substance consommée et d'autre part, l'utilisation même de la substance apporte des problèmes connexes.

LA RÉSISTANCE PHYSIOLOGIQUE

Les substances comme l'alcool, le tabac, les drogues et certains médicaments surtout du type des benzodiazépines (Valium, Librium) ont un effet sur le cerveau en modulant ou en mimant l'effet de divers neurotransmetteurs, comme la sérotonine ou la dopamine, pour influencer des régions du cerveau impliquées dans les émotions, les états de bonheur ou encore les centres du sommeil. Plus ces régions sont sollicitées, plus elles sont susceptibles de devenir moins sensibles à l'alcool, à la substance ou au médicament utilisé. En d'autres termes, pour obtenir le même effet, l'individu devra constamment augmenter les doses et la fréquence d'utilisation. C'est ce que l'on appelle la résistance physiologique.

PROBLÈMES CONNEXES

L'utilisation abusive de ces diverses substances est elle-même susceptible d'entraîner son lot de problèmes financiers, légaux et familiaux qui peuvent avoir des conséquences parfois dramatiques pour la personne bipolaire et ses proches.

Les effets de l'alcool sur l'anxiété

Depuis toujours l'alcool est utilisé comme «médicament» pour se traiter lorsqu'on est anxieux, mais on peut s'interroger sur les motivations des membres de la parenté qui présentent un certain type de problème d'alcool. Serait-il possible que ces personnes aient été ou soient des anxieuses qui utilisent l'alcool comme automédication?

Qui ne connaît pas l'effet calmant de l'alcool en cas de stress aigu? «Prends un cognac, ça va te calmer.» C'est vrai, l'alcool agit sur le cerveau, sur des récepteurs inhibiteurs, les récepteurs GABA, d'où son effet sédatif. Ces mêmes récepteurs sont visés par certains médicaments dont les anxiolytiques benzodiazépines comme l'Ativan ou le Valium, mais aussi par la relaxation et la méditation. Le problème de dépendance à l'alcool (ou aux benzodiazépines) vient du fait que lorsqu'ils cessent d'agir, la personne redevient anxieuse et consommera une nouvelle dose pour se calmer de nouveau. Débute alors une accoutumance physiologique et psychologique, le corps en redemande et on croit qu'on ne peut plus s'en passer.

Traitement des troubles anxieux

Parmi les approches disponibles, on conseille souvent l'apprentissage d'une technique de relaxation, de respiration, par le biais du yoga, du taï chi, du karaté ou encore par la maîtrise d'autres sports. On recommandera de ne prendre aucune drogue et d'éviter ou de limiter le plus possible la consommation d'alcool.

Une psychothérapie peut aider à modifier les pensées erronées: «Si je ne me lave pas les mains à l'eau de Javel, je risque d'attraper une maladie mortelle» ou «Si je traverse ce pont ou si je prends l'avion, je risque de faire une attaque de panique et d'être pris sans pouvoir m'échapper de la situation».

Dans les cas plus sévères, on utilise parfois un antidépresseur pour traiter un trouble anxieux. Plusieurs antidépresseurs ont été approuvés dans le traitement des troubles anxieux.

TROUBLE DÉFICITAIRE DE L'ATTENTION ET HYPERACTIVITÉ (TDAH)

Environ 10 % des jeunes présentant un TDAH dans l'enfance vont éventuellement développer un trouble bipolaire. À l'inverse, dans une étude récente, les résultats montrent que

9 % des sujets bipolaires avaient une histoire antérieure de TDAH dont 6 % en souffraient toujours à l'âge adulte[29]. Il semble que le traitement du TDAH dans l'enfance peut réduire le risque d'abus de substances à l'adolescence, mais l'impact des psychostimulants sur l'apparition ultérieure d'un trouble bipolaire demeure mal connu. D'une part, la prévention de la toxicomanie peut possiblement retarder l'apparition du trouble bipolaire, mais d'autre part les psychostimulants pourraient peut être déstabiliser un trouble bipolaire non traité. À partir du moment où le trouble bipolaire est diagnostiqué chez une personne présentant un TDAH, il est recommandé de traiter d'abord le trouble bipolaire en cessant temporairement les psychostimulants. Leur réintroduction ultérieure dans le plan de traitement devrait se faire avec prudence et avec des évaluations de leurs effets sur le comportement tant psychosocial que scolaire et en évaluant soigneusement leur impact sur l'humeur[30].

29 NIERENBERG, A.A. et collab., «Clinical and diagnostic implications of lifetime attention-deficit/hyperactivity disorder comorbidity in adults with bipolar disorder: data from the first 1000 STEP-BD participants», *Biol Psychiatry*, vol. 57, n° 11, juin 2005, p. 1467-1473

30 PAVULURI, M.N., et M.W. NAYLOR, «Multi modal integrated treatment for youth with bipolar disorder», *Psychiatric Times*, vol. 22, n° 6, mai 2005, s. p.

CHAPITRE 7

LE TROUBLE BIPOLAIRE ET LA GROSSESSE

Puisque le trouble bipolaire débute le plus souvent à la fin de l'adolescence ou au début de l'âge adulte, les femmes bipolaires sont à risque d'éprouver des épisodes de dépression ou de manie durant leur vie reproductive. Certains médicaments couramment utilisés dans le traitement du trouble bipolaire sont tératogènes, c'est-à-dire qu'ils peuvent entraîner des malformations chez le fœtus lorsque sa mère en a consommé durant les premiers mois de grossesse. Les femmes bipolaires doivent idéalement planifier leurs grossesses de façon à cesser ou à modifier la médication. Dans la population en général, de nombreuses grossesses ne sont pas planifiées. La femme atteinte de trouble bipolaire qui éprouve de la difficulté à mener une vie stable risque de connaître une grossesse non planifiée.

Le traitement

Le traitement optimal des femmes bipolaires inclut une discussion approfondie entre le médecin, la patiente et son conjoint, afin de bien expliquer et d'analyser les risques et les bénéfices de poursuivre un traitement pharmacologique durant une éventuelle grossesse par rapport aux effets de l'interruption du traitement.

Il est démontré que les femmes peuvent connaître un épisode dépressif ou de manie durant la grossesse[31]. Cette période généralement heureuse fait connaître aux femmes enceintes des changements importants et des stress physiologiques et psychologiques non moins importants. La grossesse n'a pas d'effet protecteur contre la dépression, contrairement à ce que l'on a cru dans le passé.

Lorsqu'une femme est en dépression durant sa grossesse, les conséquences peuvent être désastreuses, à la fois pour elle et pour l'enfant qu'elle porte. Les risques pour la mère sont les suivants:
- un désintérêt des conseils prénataux;
- la poursuite ou la reprise du tabagisme;
- la consommation d'alcool et/ou de drogues;
- un mauvais sommeil;
- une mauvaise alimentation et un gain de poids insuffisant.

Une dépression non traitée peut mener au suicide durant la grossesse ou durant la période post-partum (après l'accouchement). Selon une étude de Oates (2003[32]), le suicide était la cause de décès la plus importante au cours de la première année après l'accouchement, dans les pays industrialisés.

Le fœtus souffre de l'état dépressif ou d'anxiété de sa mère. Des modifications dans ses mouvements et dans son cycle éveil/sommeil, un petit poids à la naissance et une nais-

---

31 YONKERS, K.A. et collab., «Management of bipolar disorder during pregnancy and the postpartum period», *Am J Psychiatry*, vol. 161, avril 2004, p. 608-620.

32 OATES, M., «Perinatal psychiatric disorders: a leading cause of maternal morbidity and mortality», *Br Med Bull*, vol. 67, n° 1, 2003, p. 219-229.

sance prématurée ont été associés à l'anxiété et à la dépression chez la mère. À l'âge de 8 mois et de 24 mois, des retards de développement, des problèmes de sommeil et d'alimentation ont été associés à une exposition à une anxiété importante chez la mère, et ce, même après que d'autres variables pouvant influencer le développement de l'enfant ont été prises en compte[33].

Plusieurs facteurs explicatifs ont été proposés pour comprendre le lien entre le stress ou la dépression maternels et le développement ultérieur de l'enfant. Il pourrait s'agir d'une vulnérabilité génétique au stress chez l'enfant, de facteurs hormonaux et endocriniens, comme des taux élevés de cortisol, qui influeraient négativement sur le développement du cerveau de l'enfant.

Il est donc important pour le bien-être de la mère et de son enfant de traiter énergiquement les dépressions post-partum, afin que cette période puisse être fertile en expériences positives de part et d'autre.

Le post-partum

La période post-partum est une période à très haut risque de rechute chez les femmes bipolaires. Elles sont notamment trois fois plus à risque de développer un épisode de manie ou dépressif dans la période post-partum que celles ayant cessé leur médication, mais sans avoir vécu de grossesse[34].

Une étude a recueilli de l'information à l'aide de questionnaires structurés auprès de femmes bipolaires ayant des enfants: 67 % d'entres elles avaient vécu des rechutes post-

33 LUSSKIN, S. et collab., «Perinatal depression: hiding in plain sight», *Can J Psychiatry*, vol. 52, n° 8, 2007 p. 479-488.

34 VIGUERA, AC, et coll., «Risk of recurrence of bipolar disorder in pregnant and non pregnant women after discontinuing lithium maintenance», *Am J Psychiatry*, vol. 157, février 2000, p. 179-184.

partum, en majorité des épisodes dépressifs. Une femme bipolaire ayant vécu un épisode dépressif post-partum est plus à risque de rechute dépressive durant d'autres périodes post-partum éventuelles. Il est donc important pour les femmes bipolaires d'être suivies de près et traitées énergiquement si une dépression post-partum débute, et ce, malgré la reprise après l'accouchement d'un stabilisateur de l'humeur. Les bipolaires sont à risque élevé de psychose post-partum même si, heureusement, cette maladie très sévère survient moins fréquemment (1/600 naissances chez les bipolaires). Cependant, lorsqu'une psychose survient, une hospitalisation est presque toujours nécessaire, car ces patientes présentent de l'agitation, de la confusion, des hallucinations ou des idées délirantes qui peuvent les pousser au suicide et à l'infanticide. La décision de poursuivre ou de cesser la prise de médicaments durant les trois premiers mois, ou durant toute la grossesse, doit se prendre en accord avec le médecin. Un avis du pharmacien peut être très utile. Des centres spécialisés dans les effets de certains médicaments (que ce soit durant la grossesse et l'allaitement), comme le centre Image[35] à Montréal, peuvent répondre aux questions et donner les renseignements les plus à jour disponibles dans la littérature et la pratique médicale.

Malgré les risques encourus par la mère et l'enfant, une grossesse bien planifiée chez une femme bipolaire peut se dérouler sans accroc ni rechute.

Attention aux produits «naturels»

Durant la grossesse et si vous allaitez, il faut cesser les produits naturels à l'exception des vitamines prescrites par le médecin. En effet, certains des produits dits «naturels» peuvent

---

35 Voir le centre IMAGe de la Chaire pharmaceutique Famille Louis Boivin – Médicament, grossesse et allaitement, Université de Montréal.

induire des malformations ou de la toxicité chez le nouveau-né. Les oméga-3, pour leur part, semblent sécuritaires durant là grossesse et en période d'allaitement.

Allaitement et traitement médicamenteux: un autre dilemme

L'allaitement est une expérience enrichissante qui contribue fortement à l'établissement du lien mère-enfant. Plusieurs bénéfices pour la santé de la mère et de l'enfant en découlent. L'allaitement aide la mère à retrouver son poids santé et représente un facteur de protection à long terme contre le cancer du sein, si la mère allaite durant au moins six mois. Pour l'enfant, le colostrum est riche en anticorps, et le lait maternel ne représente pas les mêmes risques d'allergies que les laits maternisés.

Toutefois, si la mère a repris ou a poursuivi une médication stabilisatrice de l'humeur, l'enfant peut être exposé à cette médication selon qu'elle passe ou non dans le lait maternel, et surtout, selon la concentration dans laquelle elle se retrouve dans le lait maternel.

D'autre part, pour la mère, un risque non négligeable associé à l'allaitement est le fait de se réveiller plusieurs fois la nuit et de manquer de sommeil. On sait que le manque de sommeil est un facteur de risque important pour une rechute et que la période post-partum est la période où le risque d'une rechute est le plus élevé. On doit donc discuter des avantages et des risques pour la mère et l'enfant de l'allaitement. Idéalement, le groupe de discussion devrait inclure la patiente et son conjoint, le médecin traitant et le pédiatre du bébé. On évaluera les risques en fonction des épisodes antérieurs par des questions comme celles-ci:

  • Les périodes d'insomnie ont-elles entraîné des manies sévères?

- Y a-t-il eu des psychoses?
- Madame a-t-elle déjà eu des idées suicidaires?
- A-t-elle déjà eu, lors de périodes post-partum antérieures, des idées d'infanticide?

Si ces risques sont absents ou faibles, on s'informera de la médication que la patiente reçoit habituellement pour traiter son trouble bipolaire afin de savoir si ce traitement est compatible avec l'allaitement. La patiente, son médecin et le pédiatre peuvent convenir d'un stabilisateur différent de celui que la patiente prend habituellement, quitte à revenir au médicament habituel après la fin de la période d'allaitement.

Parfois, on préférera recourir à l'allaitement mixte, l'allaitement le matin avant la prise du médicament et avant le coucher, et du lait maternisé pour la nuit, donné au bébé par le père. Ainsi, on évite que le bébé reçoive du lait maternel contenant une forte concentration de médicament et l'on permet à la mère de dormir la nuit.

Dans d'autres cas, on préférera l'allaitement durant une courte période de quelques semaines. Finalement, dans certains cas, on devra renoncer à l'allaitement si la santé de la mère ou de l'enfant ne le permet pas.

CHAPITRE 8

LES ORGANISMES DE SOUTIEN

Au-delà du diagnostic et du suivi médical, certaines ressources sont fort utiles. Dans de nombreux domaines, les groupes d'entraide ont permis à des personnes souffrantes de trouver de l'aide, du soutien et des informations indispensables. Les personnes atteintes du trouble bipolaire et leurs proches peuvent ainsi compter sur plusieurs associations d'entraide.

À Québec, Le Cercle Polaire [(418 (623-4636)] et La Boussole offrent des services très courus. La Boussole aide les familles à effectuer les démarches en justice parfois nécessaires pour l'évaluation, sur l'ordre d'un juge, d'un proche bipolaire représentant une certaine dangerosité, et offre aux proches des cours et des conférences sur la maladie.

Le Centre de crise de Québec offre une gamme de services allant de l'intervention téléphonique à l'intervention à domicile, en passant par des entrevues externes de décompression, d'évaluation et de référence jusqu'à l'hébergement pour des périodes de durée variable (ecrivez-nous@centredecrise.com). C'est un organisme très utilisé pour éviter des hospitalisations, auquel les psychiatres réfèrent souvent.

Afin d'illustrer la gamme de services que peuvent offrir ces associations, nous présentons l'Association québécoise de soutien aux personnes souffrant de troubles anxieux, dépressifs ou bipolaires (REVIVRE).

L'idée a germé en 1983, lors du cinquième anniversaire de la clinique du lithium de l'Hôpital Louis-H.-Lafontaine, à Montréal. Les personnes atteintes du trouble bipolaire voulaient pouvoir échanger entre elles en dehors du milieu médical et hospitalier. Est alors née l'Association des maniacodépressifs.

Rappel historique

Incorporée en mars 1983, l'Association des maniacodépressifs changeait de nom deux mois plus tard et devenait l'Association des cyclothymiques engagés. En 1991, la dénomination était de nouveau modifiée et l'organisme devenait l'Association québécoise des cyclothymiques. En 1992, une nouvelle raison sociale – Association québécoise des dépressifs et maniacodépressifs (ADMD) – était adoptée et Guy Latraverse accédait à la présidence du conseil d'administration. En 2001, le conseil d'administration donnait son aval à un quatrième changement de nom et à l'adoption d'un nouveau logotype. L'ADMD est alors devenue REVIVRE – Association québécoise de soutien aux personnes souffrant de troubles anxieux, dépressifs ou bipolaires.

Il faut rappeler ici que la dernière démarche relative au changement de nom a été motivée par la volonté de l'Association de s'occuper non seulement des troubles dépressifs et bipolaires, mais également des troubles anxieux qui sont souvent en amont des premiers. De plus, beaucoup de personnes atteintes exprimaient leur inconfort face aux impacts négatifs de l'image véhiculée par des mots comme «psychose maniacodépressive» ou «maniacodépression», et nombre de professionnels de la santé manifestaient aussi des réserves quant aux effets pernicieux de ces appellations perçues comme de véritables «stigmates».

En adoptant une nouvelle raison sociale porteuse d'espoir (REVIVRE) et suffisamment «forte» pour durer, l'Association manifestait aussi son intention de stabiliser ses assises.

Mission de REVIVRE

REVIVRE définit sa mission en trois mots: écoute, information et références. Dans cet objectif, Revivre fournit l'écoute, l'information nécessaire sur la maladie et sur les ressources disponibles. Revivre ne fait pas de diagnostic, aucun médecin ne travaille pour l'association. Le but recherché est d'encourager les appelants à consulter un professionnel. Revivre offre donc des brochures, des documents écrits, audio et audiovisuels, des soirées d'information et des conférences.

Sa ligne d'écoute, en tout temps sans frais, lui permet d'orienter la personne vers des ressources locales, les CLSC ou même l'hôpital en cas d'urgence. D'autres ressources peuvent être mises à contribution, par exemple des lignes téléphoniques 24 heures/7 jours d'écoute suicide.

Elle offre de la psychoéducation en groupe, des ateliers d'art et d'écriture, des séances d'aide individuelle. Leurs conférences proposent de l'information de pointe et seront bientôt offertes via le site Internet. REVIVRE procure un soutien aux proches des personnes atteinte, aux intervenants et aux employeurs.

Programmes et services

- **Écoute téléphonique**, disponible partout au Québec.
- **Service de documentation** comprenant des dépliants, brochures, livres et documents audiovisuels.
- **Coproduction et télédiffusion d'émissions de télévision** portant sur la démystification des maladies mentales.
- **Références** en santé mentale et autres données afin de faciliter un traitement biopsychosocial optimal.
- **Groupes d'entraide**, sous forme de groupes d'expression ou d'ateliers (troubles anxieux, estime de soi).
- **Conférences bimensuelles** de septembre à juin, animées par des professionnels œuvrant dans le domaine de la santé mentale.
- **Outils d'information**, tels que le bulletin trimestriel d'information *L'envolée*, pour les membres ainsi qu'un rapport d'activité annuel et des bulletins de liaisons pour les bénévoles.
- **Site Internet** (www.revivre.org) englobant divers éléments d'information, de références et un service de **courrier électronique** permettant à quiconque d'écrire pour soumettre des questions ou pour faire des demandes d'aide ponctuelle.
- **Relation d'aide individuelle** avec ou sans rendez-vous pour les personnes se présentant aux bureaux de l'Association.
- Encadrement de **programmes de stages** issus de tous les domaines liés à la santé mentale: sciences infirmières, psychologie, sexologie, travail social, ergothérapie, etc.

Parallèlement, Revivre crée des liens avec d'autres centres d'entraide partout au Québec. Ainsi, un résident de Québec en recherche d'un groupe d'entraide sera référé à l'Équilibre.

L'Équilibre ne disposant pas de lignes d'entraide téléphoniques ouvertes en tout temps, ses membres ont les
coordonnées téléphoniques de Revivre, en cas de besoin
d'écoute en marge des heures d'ouverture. Plusieurs collabo-
rations ont été établies avec la FFAPAMM (Fédération des
familles et amis de la personne atteinte de maladie mentale)
qui dispose de bureaux aux quatre coins de la province.

Écoute, information et références: la marque de REVIVRE

Le soutien apporté par Revivre vise à prendre le temps de
bien communiquer avec la personne qui demande de l'aide.
L'objectif premier de ce soutien consiste à venir en aide aux
personnes atteintes de troubles anxieux, dépressifs ou bipolaires. Trois mots résument à eux seuls cet objectif: l'écoute,
l'information et les références.

Que ce soit par la ligne d'écoute, dans les groupes
d'entraide ou par le service de relation d'aide individuelle,
l'écoute active constitue l'ingrédient principal pour entrer
en contact avec la personne qui demande de l'aide afin
d'instaurer un climat de confiance. Pour certaines gens qui
font appel à Revivre, il s'agit-là de leur première véritable
expérience d'écoute active, sans jugement par rapport à ce
qu'ils vivent.

Les personnes touchées de près ou de loin par les
troubles affectifs et anxieux sont avides de renseignements
sur leur maladie, ce qui est amplement justifié. Les
troubles mentaux sont des maladies ayant des signes
avant-coureurs, des symptômes précis et des traitements

appropriés visant à favoriser le rétablissement de ces personnes. Pour répondre à cette demande d'information, Revivre offre des conférences bimensuelles de septembre à juin, et des documents d'information, disponibles à ses bureaux, par courrier postal et électronique, ainsi que par l'entremise de son site Internet.

Pour retrouver une santé mentale optimale tout en ayant une maladie mentale, il est indispensable de connaître les autres formes de soutien disponibles. Ainsi, l'Association offre aux gens qui communiquent avec elle diverses ressources en santé mentale. En ce sens, elle procure aux personnes qui l'approchent des références propres à leurs besoins: psychothérapie, activités sociales, centres de crise, hébergement, autres soins en santé mentale et bien d'autres services offerts, et ce, partout au Québec.

Les personnes atteintes et leurs proches se doivent d'avoir des services à proximité afin d'obtenir des soins en santé mentale et c'est pourquoi Revivre collabore également avec les 95 centres de santé et de services sociaux (CSSS) du Québec pour leur fournir des références pertinentes. Notons également que chacun des CSSS gravite autour d'un réseau local comprenant, entre autres, les organismes communautaires, les cliniques médicales, les écoles, les pharmacies, les hôpitaux ainsi que les professionnels œuvrant dans le domaine de la santé mentale.

Par ailleurs, depuis quelques années, nous notons que de plus en plus d'intervenants œuvrant dans le domaine de la santé mentale connaissent cet organisme et n'hésitent pas à y diriger leurs interlocuteurs. Le professionnalisme de l'Association se démarque surtout par la qualité de ses interventions et cela se répercute dans le nombre sans cesse croissant de personnes qui communiquent avec Revivre, incluant ceux et celles visitant le site Internet pour recueillir de l'information et recevoir du soutien de leurs pairs.

N'oublions jamais que nous vivons une double difficulté quand survient un diagnostic de trouble anxieux, dépressif ou bipolaire: non seulement nous recevons le diagnostic comme un coup de massue, mais en plus, nous ne connaissons pas en totalité les répercussions liées à la maladie. Offrir de l'écoute, divulguer de l'information pertinente et fournir des ressources appropriées se révèlent donc essentiels.

Jean-Rémy Provost
Directeur général

CONCLUSION

―――――

«Pour peu que les patients soient adéquatement informés et formés, le médicament pourrait devenir le support et le vecteur d'une connaissance émancipatrice: celle de l'irréductible singularité de chacun des cas de tous ceux qui sont réputés être dans le même cas, en même temps que celle des voies et des moyens existant pour traiter le cas de chaque cas. Il pourrait aider le médecin à accomplir ce qui apparaît comme sa tâche la plus précieuse: permettre au patient d'envisager activement son cas, et de l'intégrer avec le plus de liberté possible dans son devenir propre.»

Dominique Lecourt
Philosophe, professeur à l'Université Denis Diderot – Paris-VII
Décembre 1999[36]

Les personnes atteintes du trouble bipolaire et leur entourage méritent tout notre respect. Elles doivent passer à travers tant de difficultés, avant même le diagnostic, vivre des périodes d'adaptation et d'essais avant de trouver les bons médicaments et finalement, elles doivent adopter un mode de vie remodelé, voire transformé. Peut-on espérer mieux pour ces personnes et pour toutes celles qui les côtoient au quotidien? Bien des espoirs sont permis.

En amont de la maladie

Aujourd'hui, nous comprenons mieux la maladie bipolaire qu'il y a une vingtaine d'années à peine. Nous avons découvert le rôle de plusieurs neurotransmetteurs, ces substances

―――――――――
36 LECOURT, D., «Individu et médicament», *Nouv Pharm*, vol. 365, n° 12, 1999, p. 488-491.

chimiques qui permettent aux cellules du cerveau de communiquer entre elles.

Grâce à l'imagerie médicale (TACO cérébral, imagerie par résonance magnétique), nous savons quelles parties du cerveau sont impliquées dans différentes situations émotionnelles ou cognitives. En somme, nos connaissances ont avancé à pas de géant au cours des dernières années. Et le meilleur reste à venir. La clé se raffine et on cherche aujourd'hui au cœur même de la cellule, au niveau de ses gènes. Dans un avenir que tous espèrent le plus rapproché possible, nous serons en mesure d'évaluer avec une meilleure précision les niveaux individuels de la maladie en termes de vulnérabilité génétique et de facteurs psychosociaux environnementaux. Certaines personnes ont un bagage génétique qui les rend plus vulnérables à la maladie bipolaire, pourtant elles ne contractent jamais la maladie. D'autres, à l'inverse, n'ont qu'un parent lointain qui en est atteint et souffrent quand même du trouble bipolaire. La clé de ces relations entre les gènes et les facteurs environnementaux, en d'autres mots la part qui doit être attribuée à l'hérédité (l'inné) et celle qui provient de l'environnement (l'acquis) n'est pas encore bien comprise. Il est démontré que le stress joue un rôle important dans l'apparition de plusieurs maladies, tant mentales que physiques. Une meilleure gestion du stress pourrait-elle contribuer à éloigner les premières manifestations de la maladie? L'abus d'alcool et diverses consommations de drogues ont certes un rôle à jouer dans l'apparition du trouble bipolaire, 35 à 40 % des personnes bipolaires éprouvent des problèmes d'alcoolisme et/ou de toxicomanie. Si ces personnes n'avaient jamais commencé à consommer, auraient-elles pu éviter de développer un trouble bipolaire? Il n'existe probablement pas de réponse unique à ces questions. Une meilleure connaissance des gènes liés au trouble bipolaire permettra d'individualiser ces réponses selon les vulnérabilités de chacun.

Un meilleur diagnostic

L'évolution des connaissances en génétique permettra un jour de cibler précisément ceux qui sont les plus susceptibles d'être atteints de trouble bipolaire. Nous serons en mesure de discerner plus précocement une dépression unipolaire ou un trouble bipolaire. D'une part, les patients souffrant du trouble bipolaire ne consultent souvent qu'en phase dépressive et comme, en général, ils vivent trois fois plus de phases dépressives que de manies, ils ont tendance à être diagnostiqués comme dépressifs plutôt que bipolaires et traités de façon sous-optimale. Nous espérons l'arrivée de marqueurs biologiques, qui permettraient par une simple analyse sanguine de diagnostiquer la maladie. La découverte et l'utilisation de marqueurs génétiques permettront de prédire la réponse du patient à un traitement pharmacologique. En oncologie, par exemple, on peut déjà savoir en examinant les surfaces d'une cellule cancéreuse si elle répondra à un traitement d'antihormonothérapie ou non, selon la présence ou l'absence de récepteurs hormonaux.

Des tabous à éliminer

Nous pouvons constater une amélioration dans les perceptions de la maladie bipolaire par rapport à ce qu'elle était au milieu du siècle dernier. Mais la bataille est loin d'être gagnée. Certains préjugés entourant la maladie mentale en général et le trouble bipolaire persistent encore. Combien retardent indûment leur première consultation en raison de leurs propres préjugés, par peur du diagnostic ou encore par crainte du regard des autres? Combien s'isolent et ne parlent pas de leur maladie à leur employeur par crainte de perdre leur emploi ou leurs chances de promotion? Plusieurs ont malheureusement raison. Une récente étude américaine portant sur 1 000 personnes souffrant du trouble maniacodépressif montre que seulement 35 % d'entre eux ont un travail à plein temps et 20 % en occupent un à temps partiel. Certains de ces bipolaires n'occupent pas d'emploi, soit parce que leur maladie n'est pas traitée de façon optimale, soit parce que les préjugés associés à leurs capacités de performance au travail leur ont nui. La société aurait certes mieux à faire en bousculant ces tabous et en profitant de l'immense potentiel créatif et imaginatif des personnes bipolaires.

Un meilleur arsenal médicamenteux

Nous sommes à même de trouver pour chacun une médication efficace. Cependant, plusieurs essais sont généralement nécessaires pour obtenir un traitement efficace et bien toléré. Une meilleure connaissance de la génétique pourra nous faire gagner temps et efficacité, diminuer les effets secondaires et permettre au patient de demeurer fidèle à son traitement.

Un meilleur encadrement

Dans certains domaines de la médecine, beaucoup d'investissements pour assurer aux patients un encadrement optimal ont été faits. Ainsi, une personne qui a connu un problème cardiaque pourra se voir offrir une multitude de services pour l'aider à adopter un mode de vie qui la protègera d'éventuelles récidives. Elle aura à sa disposition des infirmières spécialisées qui feront un suivi de sa tension artérielle, qui vérifieront sa prise de médicaments. Elle pourra aussi obtenir des consultations auprès d'une nutritionniste pour établir une diète équilibrée et protectrice du système cardiovasculaire. Finalement, plusieurs centres spécialisés offrent des salles de conditionnement physique adaptées et des services de consultations psychologiques. Cet encadrement est efficace sur deux plans. D'abord sur le plan physique, tout est mis en œuvre pour faciliter une guérison rapide et durable, et sur le plan psychologique, le patient, devant un tel déploiement d'efforts collectifs, comprendra la nécessité d'un changement de son mode de vie et aura tendance à y participer plus facilement.

Dans le domaine de la santé mentale, nous avons encore bien du chemin à parcourir avant de pouvoir offrir un encadrement semblable, bien que les besoins se ressemblent. Les bipolaires ont besoin d'infirmières spécialisées qui assureraient un suivi. Les bénéfices d'un suivi psychologique individualisé, de réunions de groupe, de soutien aux familles sont incontestables. Toutefois, peu de patients ont accès à l'ensemble de ces services, même si des sites Internet proposent des guides pratiques de thérapie psychologique.

Plusieurs études démontrent que l'exercice a non seulement des effets antidépresseurs, mais qu'il stimule la création de nouveaux neurones dans des régions du cerveau impliquées dans la mémoire. L'exercice est donc une composante essentielle à intégrer aux traitements des troubles bipolaires.

Plusieurs chemins mènent à la guérison. Il y a 10 ans, on croyait que le nombre de neurones était fixé à vie et qu'on perdait inexorablement des neurones en vieillissant, or il n'en est rien. Selon des recherches menées chez des souris et des êtres humains, le cerveau est doté d'une capacité de réparation et de régénération. Cette plasticité cérébrale est démontrée chez l'homme dans au moins deux régions, l'hippocampe, cette zone dévolue à la mémoire, et le bulbe olfactif[37][38], un relais qui traite l'information sensorielle. Bien des questions demeurent quant au rôle de ces régions cérébrales, mais de formidables possibilités voient le jour pour le traitement de maladies dégénératives telles que le Parkinson ou l'Alzheimer, ainsi que pour la dépression unipolaire ou bipolaire. En effet, la dépression, surtout si elle survient plusieurs fois dans la vie, entraîne une réduction du volume de l'hippocampe et une diminution de la neurogenèse. Il faut se rappeler que les antidépresseurs, les stabilisateurs de l'humeur, l'exercice et possiblement les oméga-3 contribuent à augmenter la neurogenèse et à réparer les dommages causés par la dépression. De nouveaux médicaments spécifiquement conçus pour stimuler cette neurogenèse dans l'hippocampe et traiter efficacement la dépression pourraient voir le jour prochainement.

Une requête

Nous profitons de la tribune que constitue ce livre pour réclamer la participation de tous et chacun afin que la santé mentale puisse bénéficier des mêmes structures, des programmes similaires et des mêmes ressources multidisciplinaires que d'autres maladies. Pourvoir les centres de traitements de la maladie bipolaire de ces ressources, c'est beaucoup plus qu'un service optimisé aux patients. C'est la possibilité pour eux de retrouver des relations harmonieuses avec leurs proches, de s'intégrer efficacement et de manière durable sur marché du travail, bref, de mener une vie épanouie.

---

37 SANDERS, E., et H. RATEL, *Pourquoi votre cerveau est unique*, dossier de la revue *Sciences et avenir*, septembre 2007.

38 DRAGUNOW, M., et collab., «Human neuroblasts migrate to the olfactory bulb via a lateral ventricular extension», *Sciences*, vol. 315, n° 5816, 2 mars 2007, p. 1243-1249.

Le mot de la fin

Le mot de la fin est laissé à l'auteure, médecin psychiatre, la D^re Marie-Josée Filteau:

«*Lorsqu'en 1992, j'ai commencé à pratiquer la psychiatrie, je voyais toutes les pathologies liées à ma spécialité. Puis, j'eus à traiter quelques patients maniacodépressifs. Ce sont des personnes fascinantes à bien des égards. Elles illustrent les extrêmes des émotions humaines dans ce qu'il y a de plus heureux et de plus malheureux, là où l'être humain ne peut habituellement se rendre. Elles explorent, avec une imagination et une créativité qui leur sont propres, les limites de notre monde. Et lorsque arrivent les phases dépressives, elles se révèlent tellement vulnérables. Elles visitent les extrêmes de notre psyché, parfois avec un enthousiasme hors du commun, parfois avec une souffrance extrême. Ces patients sont de grands passionnés et ils nous font partager leurs rêves. Mais, lorsque leurs rêves s'éteignent, nous devenons pour un temps des porteurs de lumière.*

Le bipolaire exige de moi d'être un être humain meilleur. Témoin de sa souffrance, je me dois de porter, comme un objet précieux, la flamme de l'espoir. Lui prodiguant des recommandations en vue d'obtenir une vie en bonne santé, je dois les appliquer à ma propre vie. Comment croire que les personnes avec qui nous sommes en relation nous écouteront, si notre propre mode de vie dément nos paroles?

C'est à ces femmes et à ces hommes bipolaires et à leurs proches que je dédie cet ouvrage.»

TÉMOIGNAGES

N ous avons débuté ce livre avec le témoignage d'une personne souffrant du trouble bipolaire. Comme nous désirons que notre ouvrage s'adresse tout autant aux proches (conjoints, parents, aidants naturels, intervenants et collègues) qu'aux personnes atteintes, nous terminons par ce témoignage d'un homme dont la conjointe est bipolaire.

« Je vis avec une épouse bipolaire de type 2. Le médecin nous a expliqué qu'elle ne faisait que quelques rares épisodes d'hypomanie, mais de nombreuses phases de dépression, parfois très profondes. Nous vivons ensemble depuis 14 ans, et depuis 6 ou 7 ans, la situation s'est bien stabilisée. Il y a encore des épisodes de déprime, de dépressions saisonnières ou encore des périodes durant lesquelles elle éprouve beaucoup de difficultés à effectuer les tâches les plus simples.

J'ai connu Jocelyne il y a plus de 35 ans. C'était une amie de ma sœur depuis le primaire et jusqu'à la fin de ses études universitaires. Pour moi au départ, c'était l'amie de ma petite sœur.

À son premier épisode de manie, Jocelyne s'ouvrait un bureau, s'inscrivait à la maîtrise à l'université, magasinait une automobile neuve et... préparait son mariage, tout ça en même temps. Peu après a suivi une période de déprime. À ce moment-là, son conjoint l'a quittée et elle dut retourner vivre chez ses parents.

Nous ne nous fréquentions pas encore alors. Mais lorsqu'elle se sentait plus mal en point, lorsqu'elle avait des idées suicidaires, elle me téléphonait. On se rencontrait et je l'écoutais pendant de longues heures parfois. Au fil des confidences et des rencontres, mes sentiments envers elle se sont transformés et j'en suis devenu absolument amoureux. Heureusement, ce fut réciproque et nous avons convenu de vivre ensemble. Je savais donc que Jocelyne était ce qu'on appelait à cette époque: maniacodépressive.

Nous jouissons d'une grande complicité et j'ai appris dès le début de notre union à l'observer. Je me souviens que lorsque nous nous rendions rencontrer son médecin, il lui demandait depuis combien de temps elle se sentait ainsi et souvent, elle ne pouvait pas dire exactement quand ç'avait commencé. Je prenais alors la parole et je disais au médecin que le tout avait débuté deux semaines plus tôt. J'avais remarqué alors qu'elle éprouvait plus de difficultés à se réveiller, qu'elle démontrait moins d'enthousiasme, qu'elle avait commencé à négliger sa coiffure, etc.

Au fil des années, il s'est ainsi établi un excellent climat de confiance entre Jocelyne, son médecin et moi, à ce point qu'aujourd'hui, le médecin nous laisse une grande liberté. Ainsi, lorsqu'une déprime s'annonce et s'installe, nous pouvons décider d'augmenter la dose d'antidépresseur ou si, à l'inverse, certains indices d'hypomanie se manifestent, nous pouvons décider de la réduire. Bien sûr, nous allons consulter le médecin le plus tôt possible pour valider notre action, mais nous n'avons plus besoin d'attendre après un rendez-vous médical pour intervenir. Je crois que nous avons évité bien des épisodes de dépression depuis grâce à cette liberté.

Lorsqu'elle sombrait dans un état dépressif, au début, j'éprouvais de la colère accompagnée d'une grande déception. C'est un peu comme si quelque part à l'intérieur de moi, j'entendais: «Ça recommence.» J'avais alors tendance à lui brasser la cage un peu, à tenter de la motiver et à l'inonder de conseils. Je suis d'un naturel extrêmement positif et j'essayais par tous les moyens de la convaincre de se ressaisir, de remonter la côte, etc. Comme de raison, lorsqu'elle était au début d'une dépression profonde, rien n'y faisait et mes précieux conseils n'étaient d'aucun secours. Là, elle avait besoin de soutien médical. Jocelyne m'a beaucoup aidé à comprendre sa maladie parce que je voyais combien d'efforts elle faisait pour tenter de s'en sortir.

Je me souviens qu'au début d'une de ces phases dépressives, j'étais rentré à la maison pour le dîner et l'avais trouvée dans un état pitoyable. Elle n'était pas coiffée, pas maquillée et était restée en pyjama. Je me rappelle lui avoir dit: «Je sais que tu trouves cela difficile, mais je te demande de faire l'effort de te vêtir et de te coiffer. Reste à la maison si tu le veux, dors tout l'après-midi si ça te chante, mais pour toi, habille-toi et peigne-toi.» Quand je suis revenu en fin d'après-midi, elle s'était vêtue et coiffée. Elle sombra tout de même dans une dépression, mais constatant l'effort qu'elle faisait, je comprenais en même temps que lorsqu'elle tombait dans cet état, elle n'en était pas responsable.

Le fait de lui dire ce que je pense à ma façon sans vouloir nécessairement l'épargner ou la protéger a été un atout majeur dans notre vécu commun. C'en est même devenu une sorte de pacte entre nous de pouvoir parler de ce qui ne va pas au moment où ça ne va pas. Cette sincérité nous a, je crois, été salutaire.

C'est ainsi que j'apprivoisai sa maladie. Jocelyne n'est pas une personne qui va s'obstiner. Mais si elle ne veut pas faire quelque chose, elle ne le fera pas. Comme dans tous les couples, il y a eu une période d'adaptation, d'apprentissage de l'autre. En ce sens, la bipolarité de Jocelyne n'a rien changé.

La maladie a fait une différence quand nous avons considéré au début de notre vie commune la possibilité d'avoir un enfant. Nous étions alors au début de la trentaine et nous en avons parlé à son médecin. Il nous a alors appris que Jocelyne devrait arrêter sa médication idéalement quelques mois avant la grossesse et durant toute la durée de celle-ci par la suite. Dans de telles circonstances, nous savions que les risques pour Jocelyne de sombrer en dépression profonde étaient énormes. D'autant plus qu'il avait fallu plusieurs années difficiles pour en arriver aux bonnes doses et à la bonne combinaison de médicaments et connaître enfin une certaine stabilité de l'humeur. J'avais déjà vu Jocelyne être hospitalisée trois fois durant la même année. La période d'hospitalisation la plus longue fut de trois mois. Nous avons donc d'un commun accord décidé qu'il serait plus sage de ne pas avoir d'enfant.

Durant les moments les plus difficiles, par exemple, lorsque Jocelyne était hospitalisée, j'avais la chance d'avoir des amis qui étaient au courant de notre situation et qui m'écoutaient. Une amie commune à Jocelyne et à moi souffrait elle-même du trouble bipolaire, si bien qu'elle était en mesure de me comprendre et de m'encourager durant ces périodes.

Le pire, je crois, fut sa tentative de suicide survenue il y a huit ans. Depuis plusieurs jours, ça n'allait pas bien. Je lui demandais si elle allait et elle me répondait invariablement: «Oui, oui.» Mais en réalité, c'était: «Non, non.» Un midi, elle décida d'avaler toute une fiole de comprimés puis, prise de panique devant son geste, elle appela l'hôpital. On me joignit à mon travail sur une autre ligne téléphonique tout en continuant à parler à Jocelyne. Je me rendis immédiatement à la maison et j'arrivai en même temps que les ambulanciers. Elle fut hospitalisée pendant cinq jours. Pour moi, ce fut pire qu'un abandon. C'est un peu comme si elle me disait: «Regarde, tu ne peux même plus m'aider. Je n'ai absolument plus confiance en toi.» Lorsqu'elle obtint son congé de l'hôpital, je l'emmenai souper au restaurant. Je lui ai alors dit que je n'avais absolument aucun contrôle sur sa décision de se suicider ou non, celle-ci n'appartenait qu'à elle. Mais par contre, j'avais l'entier contrôle sur ma décision de demeurer avec elle ou de partir. Je la mis donc en garde: s'il y avait une autre tentative du genre, moi, je partais. Mon engagement était, on ne peut plus clair. «Je suis prêt à accepter tes hauts et tes bas, je l'ai toujours fait et continuerai à le faire, mais une tentative de suicide, je ne l'accepterai jamais», ai-je conclu. Elle m'affirma avoir compris et me dit qu'elle tenait à moi. Aujourd'hui, je crois bien qu'elle était sincère puisqu'il n'y eut jamais d'autres tentatives.

En rétrospective, je me rends compte qu'il ne faut pas avoir peur de cette maladie-là. Oui, c'est une maladie qui est traîtresse, tu penses que tout va bien puis tout à coup, c'est la rechute, la descente aux enfers. Mais avec le temps, on se rend compte qu'on peut très bien vivre avec une personne atteinte. Il faut accepter d'acquérir certaines qualités qui vont nous permettre de passer plus facilement à travers des périodes plus pénibles. Pour moi, ces qualités se résument à trois: la patience, la compréhension et l'écoute. J'avais déjà une bonne qualité d'écoute. Pour ce qui est de la compréhension, je me suis renseigné, j'ai assisté à énormément de rencontres avec son médecin, avec des groupes de soutien. Tout ça m'a aidé à développer ma compréhension envers Jocelyne. Pour la patience, j'ai eu à travailler un peu plus fort. Je n'étais pas au départ d'un naturel patient. Mais j'ai appris et aujourd'hui, je m'en félicite. Oui, c'est possible et même bien agréable de vivre avec Jocelyne, ma conjointe bipolaire.»

***

Tout le monde connaît Michel Courtemanche. C'est tellement bon de rire parfois même jusqu'aux larmes. Nous devons tous à Michel ces instants précieux où il nous a fait rire. Le clown était professionnel, il ne le laissait pas voir, mais il était trop souvent triste, découragé, angoissé. Voici un peu de son histoire:

«Tu ne peux pas te plaindre quand tu as tout. Tu n'es pas supposé avoir de problème. C'est un peu comme cela que je me sentais à l'époque. Je ne m'étais pas franchement destiné à la scène. Je m'y suis embarqué et le succès est arrivé. Il allait tellement vite que bientôt, il m'avait dépassé. Je n'étais pas particulièrement ouvert aux commentaires des autres et j'étais entêté.

À l'image de mon père, je gardais cela en dedans. Sa maladie était connue, il était maniacodépressif. Une bonne partie de sa vie, il l'a passée à l'hôpital, tantôt pour des problèmes de santé physique, tantôt dans des instituts psychiatriques. À tout ceci s'ajoutaient ses problèmes de consommation. Il a quand même passé les six dernières années de sa vie sobre, ce qui m'a permis de le connaître. Un de mes frères est aussi bipolaire et nous soupçonnons grandement que mon grand-père paternel l'était aussi.

Mais avant d'arriver à la Clinique Nouveau Départ pour me débarrasser de mes problèmes de polytoxicomanie, personne, y compris moi, ne savait que j'étais bipolaire. J'y suis arrivé dans un état lamentable. Je venais de subir, ou fort probablement de provoquer plus que de subir d'ailleurs, un divorce pénible. Je crois que j'étais moi-même assez pénible. Il m'arrivait bien à l'occasion de grimper dans les rideaux, de vouloir tout lâcher. On ne me prenait pas au sérieux. C'était des crises de vedette.

Parfois, j'étais pris de crises de panique à la puissance 100. L'une d'elles m'a d'ailleurs valu un brassage médiatique dont j'aurais bien aimé me passer. Je donnais un spectacle dans le Vieux-Port de Montréal. Je suis monté sur scène et puis ce fut une crise de panique qui me tétanisa littéralement sur place. J'ai annulé le spectacle et j'ai remboursé tout le monde qui avait acheté des billets.

Je prenais des substances pour me remonter quand je me sentais trop bas, puis de l'alcool pour m'endormir quand je n'arrivais plus à trouver le calme. Après coup, j'ai réalisé qu'au bout du compte, je tentais ainsi de soulager une grande douleur intérieure, c'était un genre d'automédication. C'est comme ça que j'ai abouti en centre de désintoxication, en dépression nerveuse profonde. Pendant quelques semaines, ce fut une cure fermée, puis je devais m'y rendre deux fois par jour pour participer à des sessions de groupe. Par la suite, les rendez-vous s'espaçaient graduellement dans le temps.

Quand j'y ai appris que j'étais bipolaire, j'ai ressenti un grand soulagement. Bien des pans de ma vie que je n'avais jamais compris venaient de s'expliquer. Je me rappelais surtout ces longues périodes de dépression que j'avais vécues sans comprendre pourquoi. Je n'étais pas pour autant sorti du bois. Il y eut au début plusieurs passages difficiles. Il a fallu plusieurs mois avant de trouver le bon «cocktail» de médicaments qui m'allait. D'ailleurs, les antidépresseurs mettent bien du temps à agir de façon optimale, quelques mois minimum. C'est difficile pour quelqu'un qui était habitué, comme moi, à vite régler les choses d'accepter cette attente.

Parfois, j'avais l'impression de tourner à vide. J'avais aussi souvent eu l'impression que si ma vie n'allait pas, c'était à cause de ma vie de couple. Se rendre compte que le problème n'est pas l'autre mais soi-même n'est pas une chose aussi simple qu'on pourrait le croire. La cure m'a permis de me retrouver et de m'orienter vers ce que je voulais vraiment faire: travailler non pas devant, mais derrière les caméras, devenir réalisateur.

Bien sûr, il m'arrive encore de m'ennuyer de ces «high» où l'inspiration semblait venir si rapidement, où l'énergie semblait une source inépuisable. Mais elle ne l'était pas, et l'épuisement arrivait insidieusement mais sûrement. Et rendu là, tu veux te cacher dans la cave et passer inaperçu. Quand tu es un an ou un an et demi dans un «down», c'est difficile de rester créatif.

Aujourd'hui, ça fait neuf ans que je suis mon traitement et que je prends mes médicaments, et je ne vois plus la vie de la même façon. Je réalise que le bonheur n'est pas une accumulation de plaisirs et qu'il se trouve le plus simplement du monde au plus profond de moi. Alors, quand je me sens malheureux, je sais que ce n'est pas parce que le bonheur n'est pas fait pour moi. Je m'arrête et le cherche à l'intérieur pour le retrouver. Je garde beaucoup d'acquis de ce que j'ai fait. La méditation en particulier m'a beaucoup aidé. J'apprécie les choses simples et je suis devenu plus sage en trouvant chaque jour des petits plaisirs. Je crois qu'il faut faire ce qu'on aime dans la vie et se sentir bien à l'endroit où l'on habite. J'ai atteint ces deux objectifs. Il m'a bien sûr fallu faire confiance à mes médecins et à ceux qui m'entouraient.»

Merci, Michel Courtemanche!

ANNEXE 1

LES RESSOURCES[39]

Voici, à titre indicatif, quelques-unes des ressources disponibles. Votre CLSC pourra vous informer de celles de votre région. La présente liste n'est donc pas exhaustive.

Anxiété, dépression, trouble bipolaire

REVIVRE – Association québécoise de soutien aux personnes souffrant de troubles anxieux, dépressifs ou bipolaires
Tél.: 1 866 REVIVRE (738-4873)
www.revivre.org

Anxiété

Phobies-Zéro
Tél.: (514) 276-3105
www.phobies-zero.qc.ca

Centre de crise de Québec
1380-A, boulevard René-Lévesque Ouest, (Québec)
G1S 1W6
Tél.: (418) 688-4240
www.centredecrise.com
écrivez-nous@centredecrise.com

---

39 Les auteurs remercient REVIVRE, qui a fourni ce guide de ressources.

Familles et proches

FFAPAMM (Fédération des familles et amis de la personne
atteinte de maladie mentale)
Tél.: 1 800 323-0474
www.ffapamm.qc.ca

La Boussole
302, 3ᵉ Avenue, Québec (Québec) G1L 2V8
Tél.: (418) 523-1502
Télec.: (418) 523-8343
www.laboussole.ca
laboussole@bellnet.ca

Le Cercle Polaire
5000, 3ᵉ Avenue Ouest, bureau 202, Charlesbourg (Québec)
G1H 7J1
Charlesbourg (Qc) G1H 7J1
Tél.: (418) 623-4636
Télec.: (418) 623-7800
www.cerclepolaire.com
cercle.polaire@oricom.ca

Suicide

Association québécoise de prévention du suicide
Tél.: 1 866 APPELLE (277-3553)
www.aqps.info

Prévention et démystification des maladies mentales

Fondation des maladies mentales
Tél.: (514) 529-5354
www.fondationdesmaladiesmentales.org

Canadian Mental Health Association
www.cmha.ca

Défense des droits

Association des groupes d'intervention en défense de droits
en santé mentale du Québec (AGIDD-SMQ)
Tél.: 1 866 523-3443
www.agidd.org

bp Canada
Hope and Harmony for People with Bipolar
www.bhope.ca

ANNEXE 2

SOUFFREZ-VOUS D'UN TROUBLE BIPOLAIRE ?

Le présent questionnaire a été élaboré en collaboration avec des personnes atteintes de TBP. II n'a pas été validé et ne peut servir à confirmer un diagnostic de trouble bipolaire. II servira de base de discussion avec le médecin lors de votre rencontre d'évaluation. Si quelques-unes ou plusieurs de vos réponses vous indiquent qu'il y a peut-être problème, le plus sage sera de consulter.

1. Dans votre parenté, y a-t-il des gens qui:

    a) dépriment, font des «burn-out»?

    b) se sont suicidés ou ont tenté de le faire?

    c) sont alcooliques?

    d) sont toxicomanes?

    e) sont excentriques?

    f) ont été hospitalisés en psychiatrie?

2. Avez-vous déjà personnellement...

    a) souffert de dépression, de «burn-out»?

    b) tenté de vous suicider?

    c) abusé d'alcool, de drogues, de tranquillisants, de somnifères, etc.?

    d) connu des «hauts» (goût excessif de dépenser, de voyager, «insatiabilité», aventures sexuelles)?

    e) été hospitalisé ou suivi en psychiatrie, vu des psychologues, et autres thérapeutes?

**DONNEZ LA RÉPONSE APPROPRIÉE À VOTRE SITUATION
PERSONNELLE**

3. À quelle fréquence sentez-vous vos changements
   d'humeur?
   ○ heures ○ semaines ○ mois ○ an
   ○ pas de fréquence précise

4. Perdez-vous vos amis(es), vos emplois?
   ○ Souvent ○ Parfois ○ Jamais

5. Avez-vous l'impression de gâcher votre vie de famille à cause
   de vos «hauts» et de vos «bas»?
   ○ Souvent ○ Parfois ○ Jamais

DANS VOS «HAUTS»

6. Vous arrive-t-il d'être excité au point de ne pas dormir
   durant plusieurs jours?
   ○ Souvent ○ Parfois ○ Jamais

7. Cherchez-vous à entreprendre trop de choses à la fois
   (activités physiques, sport à outrance, bénévolat)?
   ○ Souvent ○ Parfois ○ Jamais

8. Avez-vous l'impression d'être un génie qui parle plusieurs
   langues? Vous sentez-vous irrésistible sur le plan amoureux,
   fort sur le plan social?
   ○ Souvent ○ Parfois ○ Jamais

9. Êtes-vous un travailleur acharné capable de faire des heures
   supplémentaires sans compter, un hyperproductif?
   ○ Souvent ○ Parfois ○ Jamais

10. Avez-vous l'impression que votre pensée va trop vite?

    O Souvent   O Parfois   O Jamais

11. Vous lancez-vous dans des investissements imprudents, des projets farfelus?

    O Souvent   O Parfois   O Jamais

12. Recherchez-vous sans cesse de la compagnie?

    O Souvent   O Parfois   O Jamais

13. Avez-vous l'impression d'épuiser vos amis(es)?

    O Souvent   O Parfois   O Jamais

14. Vous reproche-t-on de trop parler, de parler trop vite, de gesticuler, de laisser échapper ce que vous manipulez?

    O Souvent   O Parfois   O Jamais

15. Lorsque vous relisez vos écrits, découvrez-vous qu'ils étaient incohérents?

    O Souvent   O Parfois   O Jamais

16. Vous êtes-vous déjà livré à des gestes avec ou sans conséquences judiciaires (par exemple des vols à l'étalage) que, par la suite, vous avez trouvés «fous»?

    O Souvent   O Parfois   O Jamais

17. Pensez-vous avoir une mission particulière ou être investi de pouvoirs spéciaux?

    O Souvent   O Parfois   O Jamais

18. Vous arrive-t-il de penser que vos collègues sont paresseux?

    O Souvent   O Parfois   O Jamais

19. **Vous arrive-t-il de penser que des gens sont secrètement amoureux de vous et d'y consacrer toute votre énergie?**
    O Souvent   O Parfois   O Jamais

20. **Vous pensez-vous plus intelligent, plus compétent, plus efficace que vos collègues?**
    O Souvent   O Parfois   O Jamais

21. **Avez-vous l'impression que les gens ne vous aiment pas?**
    O Souvent   O Parfois   O Jamais

22. **Vous sentez-vous irritable au point que la moindre contrariété provoque une colère démesurée, de l'agressivité verbale et physique?**
    O Souvent   O Parfois   O Jamais

23. **Dépassez-vous vos marges de crédit par des achats impulsif?**
    O Souvent   O Parfois   O Jamais

24. **Au volant, êtes-vous du style téméraire et impulsive?**
    O Souvent   O Parfois   O Jamais

25. **Êtes-vous à l'aise dans le risque et l'insécurité?**
    O Souvent   O Parfois   O Jamais

26. **Êtes-vous un passionné des jeux de hasard?**
    O Souvent   O Parfois   O Jamais

27. **Cela vous ennuie-t-il de voir les mêmes personnes à la maison, au travail, dans le voisinage?**
    O Souvent   O Parfois   O Jamais

28. Avez-vous le goût de déménager, de changer de décor, de voyager de façon compulsive?

    O Souvent   O Parfois   O Jamais

29. Dans votre vie sexuelle et affective, avez-vous des aventures pour le plaisir de plaire, de connaître le changement, sans penser aux conséquences possibles?

    O Souvent   O Parfois   O Jamais

30. Avez-vous l'impression d'épuiser votre conjoint(e)?

    O Souvent   O Parfois   O Jamais

31. Êtes-vous atteint de «téléphonite» aiguë?

    O Souvent   O Parfois   O Jamais

DANS VOS «BAS»

32. Vous arrive-t-il d'être fatigué, totalement épuisé au point de vous lever exténué ou de passer vos journées couché?

    O Souvent   O Parfois   O Jamais

33. Souffrez-vous d'insomnie ou d'hypersomnie?

    O Souvent   O Parfois   O Jamais

34. Manger devient-il une corvée au point de vous cacher pour que l'on ne remarque pas votre incapacité à manger?

    O Souvent   O Parfois   O Jamais

35. Êtes-vous porté à trop manger pour soulager votre angoisse?

    O Souvent   O Parfois   O Jamais

36. Avez-vous noté une perte ou un gain de poids?

    O Souvent   O Parfois   O Jamais

37. Avez-vous l'impression d'avoir le cancer ou quelque maladie incurable que personne ne peut diagnostiquer, encore moins traiter?

    O Souvent   O Parfois   O Jamais

38. Souffrez-vous de problèmes physiques qui reviennent périodiquement (douleurs dans la poitrine, maux de dos, de tête)?

    O Souvent   O Parfois   O Jamais

39. Faites-vous des crises d'angoisse, de panique?

    O Souvent   O Parfois   O Jamais

40. Vous sentez-vous mal à l'aise dans la foule, le métro, les ascenseurs?

    O Souvent   O Parfois   O Jamais

41. Faire l'amour devient-il une corvée impossible?

    O Souvent   O Parfois   O Jamais

42. Perdez-vous la force et le goût de gestes courants tels que vous laver, vous brosser les dents, vous habiller?

    O Souvent   O Parfois   O Jamais

43. Vous sentez-vous triste? Êtes-vous porté à pleurer souvent?

    O Souvent   O Parfois   O Jamais

44. Vous sentez-vous irritable, impatient?

    O Souvent   O Parfois   O Jamais

45. Éprouvez-vous une perte d'intérêt pour toute activité qui vous était agréable auparavant?

    O Souvent   O Parfois   O Jamais

46. Avez-vous la certitude d'être totalement incompétent et d'ennuyer tout le monde?

    O Souvent   O Parfois   O Jamais

47. Ruminez-vous de vieilles erreurs qui vous semblent impardonnables?

    O Souvent   O Parfois   O Jamais

48. Avez-vous sérieusement pensé au suicide?

    O Souvent   O Parfois   O Jamais

49. Avez-vous déjà pensé que la mort serait le seul moyen de soulager vos souffrances indescriptibles?

    O Souvent   O Parfois   O Jamais

50. Avez-vous déjà pensé que vos enfants ou vos proches seraient mieux morts eux aussi?

    O Souvent   O Parfois   O Jamais

Si vous vous reconnaissez dans plusieurs questions, vous devriez en discuter avec un médecin omnipraticien ou un psychiatre: il existe un traitement efficace de la maladie bipolaire.

Pauline Desrosiers, m.d., LMCC, CMFC
Jean Hillel, m.d., C.R.C.P. , F.R.C.P., C.S.P.Q.
Luc Turnier, m.d., F.L.E.X., LMCC, C.S.P.Q.

ANNEXE 3

QUESTIONNAIRE SUR LES TROUBLES DE L'HUMEUR

1. Y a-t-il eu, dans votre vie, une période où vous n'étiez pas comme d'habitude et où vous vous sentiez si bien ou si actif que les autres ont pensé que vous n'étiez pas vous-même ou que vous étiez si actif que cela vous a attiré des ennuis?

   ... vous étiez si irritable que vous criiez après les gens ou que vous entamiez des disputes ou des discussions vives?

   O Oui   O Non

   ... vous étiez beaucoup plus sûr de vous que d'habitude?

   O Oui   O Non

   ... vous dormiez beaucoup moins que d'habitude et vous trouviez que ça ne vous manquait pas?

   O Oui   O Non

   ... vous parliez beaucoup plus ou plus vite que d'habitude?

   O Oui   O Non

... vos pensées affluaient à toute vitesse dans votre tête ou vous ne pouviez ralentir le flot de vos pensées?

O Oui   O Non

... vous étiez si facilement distrait par les choses autour de vous que vous aviez de la difficulté à vous concentrer ou à rester concentré sur un sujet?

O Oui   O Non

... vous aviez beaucoup plus d'énergie que d'habitude?

O Oui   O Non

... vous étiez beaucoup plus actif ou vous faisiez beaucoup plus de choses que d'habitude?

O Oui   O Non

... vous étiez beaucoup plus sociable ou extroverti que d'habitude, par exemple vous téléphoniez à des amis au milieu de la nuit?

O Oui   O Non

... vous étiez beaucoup plus intéressé par le sexe que d'habitude?

O Oui   O Non

... vous faisiez des choses inhabituelles pour vous ou que les gens ont pu trouver excessives, stupides ou risquées?

O Oui   O Non

... vous dépensiez de l'argent et cela vous a attiré des ennuis à vous-même ou à votre famille?

O Oui   O Non

2. Si vous avez répondu OUI à plus d'un des énoncés ci-dessus, est-ce que plusieurs de ces situations sont arrivées pendant une même période?

O Oui   O Non

3. Dans quelle mesure l'une ou l'autre des situations de ces énoncés vous a causé des problèmes: être incapable de travailler; avoir des problèmes familiaux, financiers ou des problèmes avec la loi; avoir des disputes ou des discussions vives?

O Pas de problème   O Problème mineur
O Problème modéré   O Problème sérieux

4. Avez-vous un parent par le sang (c'est-à-dire enfants, frères ou sœurs, père ou mère, grands-parents, tantes, oncles) qui a eu une maladie maniacodépressive ou un trouble bipolaire?

O Oui   O Non

5. Un professionnel de la santé vous a-t-il déjà dit que vous aviez une maladie maniacodépressive ou un trouble bipolaire?

O Oui   O Non

ALGORITHME DE COTATION

Trouble du spectre bipolaire
Le questionnaire sur les troubles de l'humeur

Résultat positif

Les trois critères suivants doivent être satisfaits:

    1. Question 1
        Au moins 7 réponses affirmatives (oui) sur 13

    2. Question 2
        Réponse affirmative (oui)

    3. Question 3
        Réponse «problème modéré» ou «sérieux»

En cas de résultat positif, consulter un spécialiste traitant le trouble bipolaire.

Le présent document a été conçu à des fins de dépistage seulement et ne constitue pas une preuve diagnostique.

CALENDRIER DES HUMEURS

Conseil: Photocopiez cette page en multiples exemplaires

MOIS: _____ ANNÉE: _____ POIDS: _____

EXALTÉ   DÉPRIMÉ

Veuillez indiquer votre humeur de chaque jour en noircissant le cercle correspondant.

JOURS 1 2 3 4 5 6 7 8 9 10 11 12 13 14 15 16 17 18 19 20 21 22 23 24 25 26 27 28 29 30 31

Grave
Moyen
Léger
STABLE
Léger
Moyen
Grave

EXALTÉ ○ DÉPRIMÉ

Avez-vous manifesté les symptômes suivants? Si c'est le cas, veuillez noircir le cercle correspondant.

Anxiété
Irritabilité
Sautes d'humeur
Inscrire le nombre d'heures de sommeil
Alcool consommé
Cycle menstruel

Avez-vous pris vos médicaments aujourd'hui? Si c'est le cas, veuillez noircir le cercle correspondant.

Avez-vous été physiquement actif aujourd'hui? Si c'est le cas, veuillez noircir le cercle correspondant.

NOTES DU MÉDECIN: _____
_____
_____
_____

Quelle était votre humeur aujourd'hui?

C'est-à-dire: y a-t-il eu des événements marquants qui ont eu une influence sur votre humeur aujourd'hui?

NOTES DU MÉDECIN:

DATE

NOTES

PROCHAINE CONSULTATION:

TABLE DES MATIÈRES